초능력 수학 연산을 사면
초능력 쌤이 우리집으로 온다!

초능력 쌤과 함께하는 연산 원리 동영상 강의 무료 제공

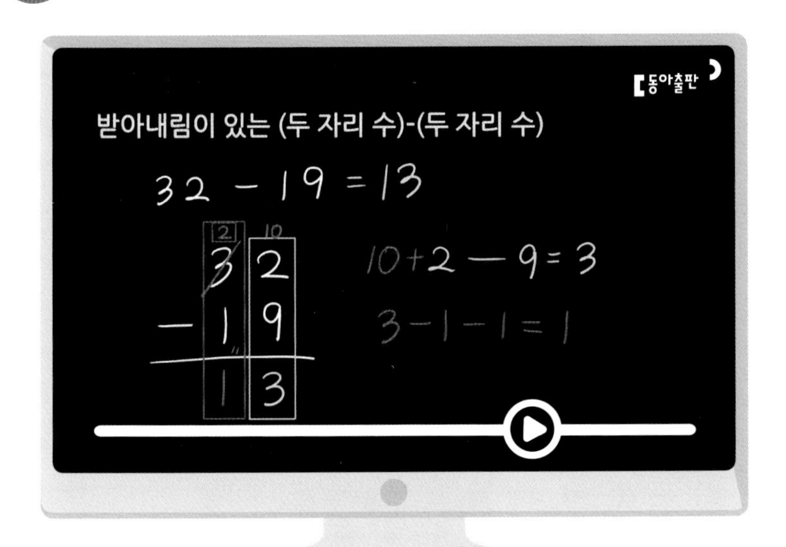

자꾸 연산에서 실수를 해요.
도와줘요~ 초능력 쌤!

연산에서 자꾸 실수를 하는 건 연산 원리를
제대로 이해하지 못했기 때문이야.

연산 원리요?
어떻게 연산 원리를 공부하면 돼요?

이제부터 내가 하나하나 알려줄게.
지금 바로 무료 스마트러닝에 접속해 봐.

초능력 쌤이랑 공부하니 제대로 연산
기초가 탄탄해지네요!

초능력 수학 연산 무료 스마트러닝 접속 방법

방법 1

동아출판 홈페이지 www.bookdonga.com에 접속하면 초능력 수학 연산 무료 스마트러닝을 이용할 수 있습니다.

방법 2

핸드폰이나 태블릿으로 **교재 표지나 본문에 있는 QR코드**를 찍으면 무료 스마트러닝에서 연산 원리 동영상 강의를 이용할 수 있습니다.

초능력 쌤과 키우자, 공부힘!

국어 독해

예비 초등~6학년(전 7권)

• 30개의 지문을 글의 종류와 구조에 따라 분석
• 지문 내용과 관련된 어휘와 배경 지식도 탄탄하게 정리

수학 연산

1학년~6학년(전 12권)

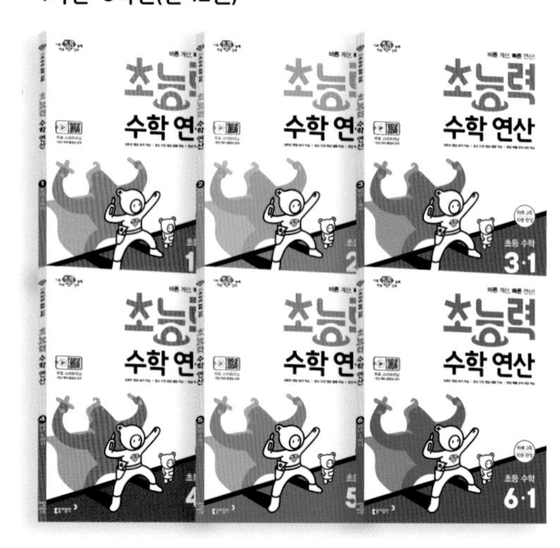

• 학년, 학기별 중요 연산 단원 집중 강화 학습
• 원리 강의를 통해 문제 풀이에 바로 적용

맞춤법+받아쓰기

예비 초등~2학년(전 3권)

• 맞춤법의 기본 원리를 이해하기 쉽게 설명
• 맞춤법 문제도 재미있는 풀이 강의로 해결

구구단 / 시계 • 달력 / 분수

1학년~5학년(전 3권)

• 초등 수학 핵심 영역을 한 권으로 효율적으로 학습
• 개념 강의를 통해 원리부터 이해

비주얼씽킹 초등 한국사 / 과학

1학년~6학년(각 3권)

• 비주얼씽킹으로 쉽게 이해하는 한국사
• 과학 개념을 재미있게 그림으로 설명

급수 한자

8급, 7급, 6급(전 3권)

• 급수 한자 8급, 7급, 6급 기출문제 완벽 분석
• 혼자서도 한자능력검정시험 완벽 대비

이 책을 학습한 날짜와 학습 결과를 체크해 보세요.

초능력 수학 연산 학습 플래너

스스로 학습 계획을 세우고 달성하면서
수학 연산 실력 향상은 물론
연산을 적용하는 힘을 키울 수 있습니다.

DAY	공부한 날	확인	DAY	공부한 날	확인
01	월 일		31	월 일	
02	월 일		32	월 일	
03	월 일		33	월 일	
04	월 일		34	월 일	
05	월 일		35	월 일	
06	월 일		36	월 일	
07	월 일		37	월 일	
08	월 일		38	월 일	
09	월 일		39	월 일	
10	월 일		40	월 일	
11	월 일		41	월 일	
12	월 일		42	월 일	
13	월 일		43	월 일	
14	월 일		44	월 일	
15	월 일		45	월 일	
16	월 일		46	월 일	
17	월 일		47	월 일	
18	월 일		48	월 일	
19	월 일		49	월 일	
20	월 일		50	월 일	
21	월 일		51	월 일	
22	월 일		52	월 일	
23	월 일		53	월 일	
24	월 일		54	월 일	
25	월 일		55	월 일	
26	월 일		56	월 일	
27	월 일		57	월 일	
28	월 일		58	월 일	
29	월 일		59	월 일	
30	월 일		60	월 일	

이렇게 활용하세요.

공부한 날에 맞게 날짜를 쓰고
학습 결과에 맞추어 확인란에 체크합니다.

예

DAY	공부한 날	확인
01	1 월 2 일	

초능력 수학 연산 칸 노트 활용법

중학교, 고등학교에서도 초등학교 때 배운 수학 연산을 바탕으로 새로운 지식을 배우게 됩니다.
수학 연산에서 가장 중요한 것은 정확성입니다.
계산 실수를 하지 않는 습관을 들이는 것이 가장 중요합니다.

바른 계산 원리 이해

원리 단계에서 칸 노트에 제시된 문제를 해결하면서 바른 계산 원리를 이해합니다.

바른 계산 연습

연습 단계에서 제시된 가로셈 문제를 직접 **정확성 UP!** 칸 노트에 세로셈으로 옮겨 쓰고, 자릿값에 맞추어 계산하면서 바른 계산을 연습합니다.

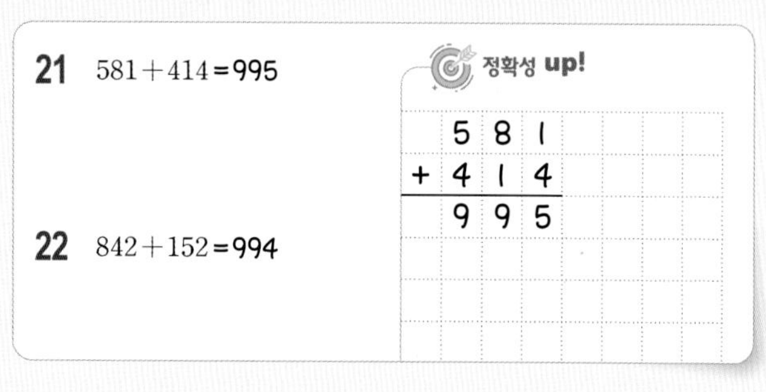

적용 문제 해결

적용 단계에서 제시된 적용 문제를 가로셈으로 나타낸 다음 다시 **정확성 UP!** 칸 노트에 세로셈으로 옮겨 쓰고, 자릿값에 맞추어 계산하면서 문제해결력을 강화합니다.

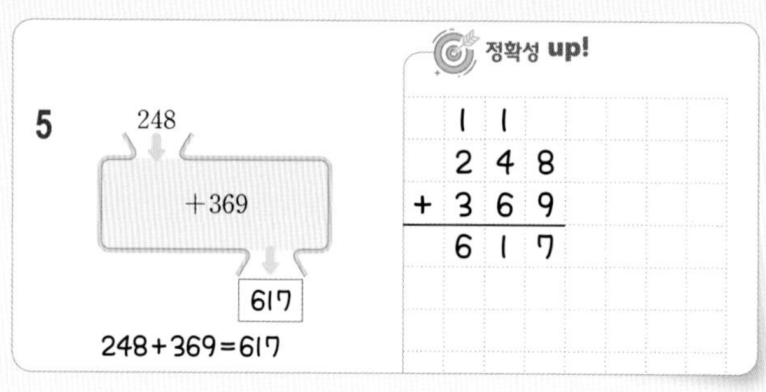

바른 계산, **빠른** 연산!

초능력

수학 연산

초등 수학

1·2

1학년 2학기
연계 학년 단원 구성

교과서 모든 영역별 계산 문제를 단원별로 묶어 한 학기를 끝내도록 구성되어 있어요.

이럴 땐 이렇게 교재를 선택하세요.

1. 해당 학기 교재 단원 중 어려워하는 단원은 이전 학기 교재를 선택하여 부족한 부분을 보충하세요.
2. 해당 학기 교재 단원을 완벽히 이해했으면 다음 학기 교재를 선택하여 실력을 키워요.

1학년 2학기

1학년 1학기

단원	학습 내용
1. 9까지의 수	1~9 알기, 몇째, 수의 순서, 1만큼 더 큰 수 1만큼 더 작은 수, 수의 크기 비교
2. 덧셈	9까지의 수의 수 모으기, 합이 9까지인 수의 덧셈하기
3. 뺄셈	9까지의 수의 수 가르기, 한 자리 수의 뺄셈하기, 덧셈과 뺄셈
4. 50까지의 수	십몇, 수 모으기와 가르기, 몇십, 50까지의 수 세기와 수의 순서, 수의 크기 비교

단원	1. 100까지의 수
학습 내용	❶ 99까지의 수 알아보기
	❷ 수의 순서 알아보기
	❸ 두 수의 크기 비교
	❹ 짝수와 홀수 알아보기

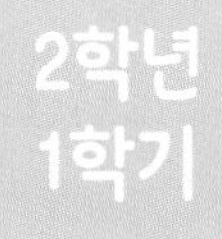

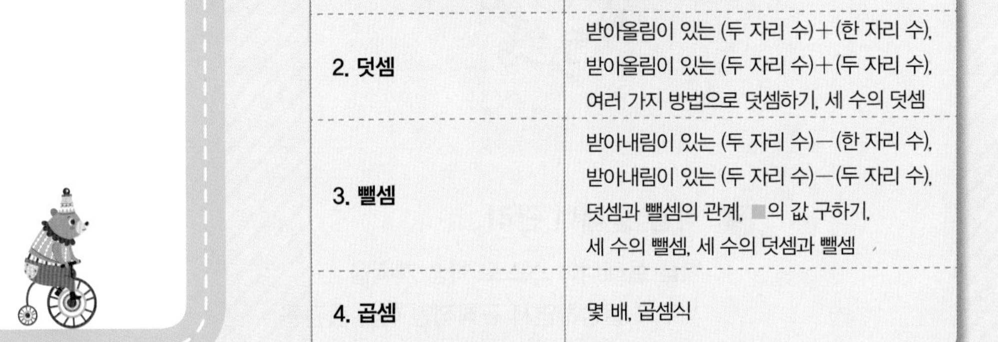

단원	학습 내용
1. 세 자리 수	백, 몇백, 세 자리 수, 뛰어 세기, 수의 크기 비교
2. 덧셈	받아올림이 있는 (두 자리 수)+(한 자리 수), 받아올림이 있는 (두 자리 수)+(두 자리 수), 여러 가지 방법으로 덧셈하기, 세 수의 덧셈
3. 뺄셈	받아내림이 있는 (두 자리 수)−(한 자리 수), 받아내림이 있는 (두 자리 수)−(두 자리 수), 덧셈과 뺄셈의 관계, ■의 값 구하기, 세 수의 뺄셈, 세 수의 덧셈과 뺄셈
4. 곱셈	몇 배, 곱셈식

2. 덧셈 (1)	**3. 뺄셈** (1)	**4. 덧셈** (2)	**5. 뺄셈** (2)
❶ (몇십)+(몇)	❶ 받아내림이 없는 (몇십몇)−(몇)	❶ 세 수의 덧셈	❶ 세 수의 뺄셈
❷ 받아올림이 없는 (몇십몇)+(몇)	❷ (몇십)−(몇십)	❷ 10이 되는 더하기	❷ 10에서 빼기
❸ 받아올림이 없는 (몇십)+(몇십)	❸ (몇십몇)−(몇십)	❸ 10을 만들어 더하기	❸ 받아내림이 있는 (십몇)−(몇)
❹ 받아올림이 없는 (몇십몇)+(몇십몇)	❹ 받아내림이 없는 (몇십몇)−(몇십몇)	❹ 받아올림이 있는 (몇)+(몇)	
❺ 여러 가지 방법으로 덧셈 하기	❺ 여러 가지 방법으로 뺄셈 하기		

이런 점이 좋아요!

학습 플래너 관리

학습 플래너에 스스로 학습 계획을 세우고 달성하면서 규칙적인 학습 습관을 키우도록 합니다.

특화 단원 집중 강화 학습

학년, 학기별 중요한 연산 단원을 집중 강화 학습할 수 있도록 구성하여 연산력을 완성합니다.

정확성을 길러주는 연산 쓰기 연습

기계적으로 단순 반복하는 연산 학습이 아닌 칸 노트를 활용하여 스스로 정확하게 쓰는 연습에 집중하도록 합니다.

연산 능력을 문제에 적용하는 학습

연산을 실전 문제에 적용하여 풀어볼 수 있어 연산력 뿐만 아니라 수학 실력도 향상시킵니다.

이렇게 **구성**되어 있어요!

원리

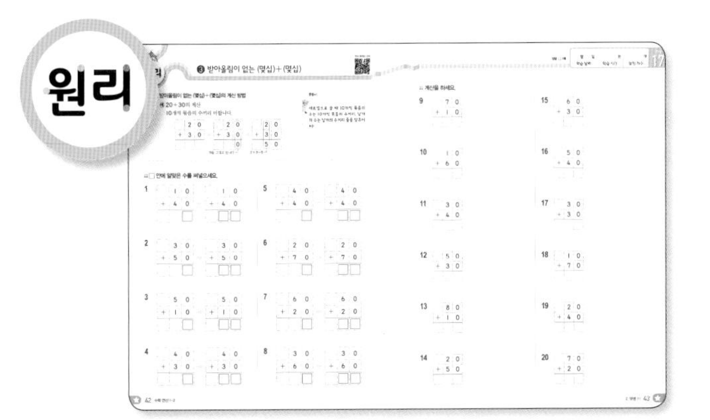

학습 내용별 연산 원리를 문제로 설명하여 계산 원리를 스스로 익힙니다.

QR코드를 스마트폰으로 찍으면 연산 원리 동영상 강의를 무료로 학습할 수 있습니다.

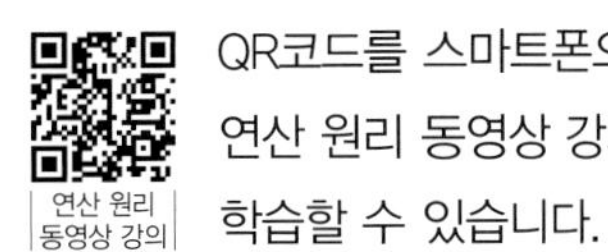

연습

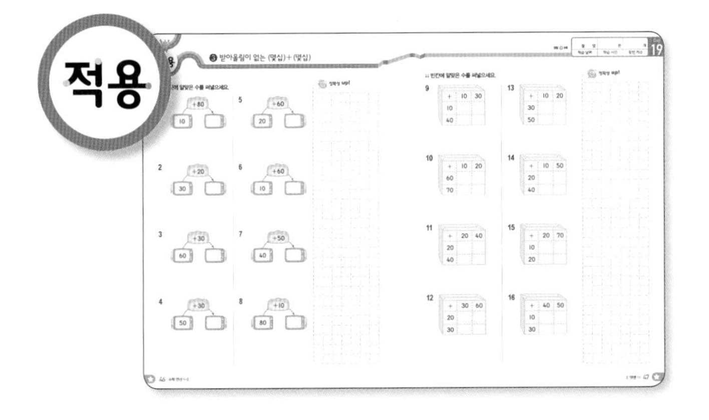

학습 내용별 원리를 토대로 문제를 해결하면서 연습을 충분히 합니다.

실력 up 연산이 적용되는 실전 문제를 해결하면서 수학 실력을 키웁니다.

정확성 up! 칸 노트를 활용하여 자릿값에 맞추어 문제를 쓰고 해결하면서 정확성을 높입니다.

	2	5	1
+	7	3	1
	9	8	2

적용

학습 내용별 충분히 연습한 연산 원리를 유연하게 조작하여 스스로 문제를 해결하는 능력을 키웁니다.

평가

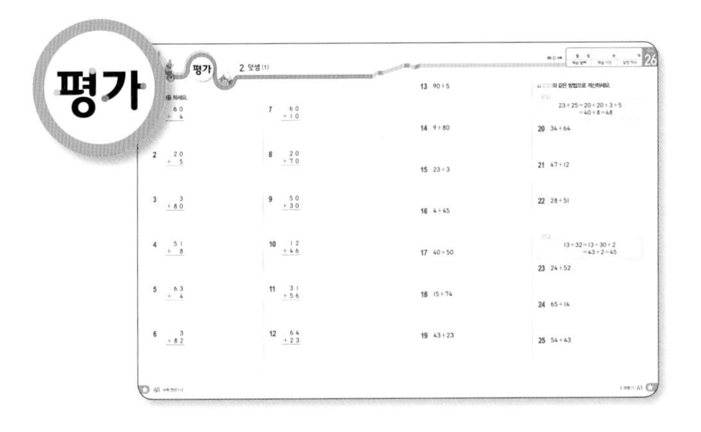

학습 내용별 연습과 적용에서 학습한 내용을 토대로 한 단원의 내용을 종합적으로 확인합니다.

차례

1 100까지의 수

학습 계획표

학습 내용	원리	연습
❶ 99까지의 수 알아보기	Day **01**	Day **02**
❷ 수의 순서 알아보기	Day **03**	Day **04**
❸ 두 수의 크기 비교	Day **05**	Day **06**
❹ 짝수와 홀수 알아보기	Day **07**	Day **08**
적용	Day **09**	
평가	Day **10**	

학습 관리 **tip** 맨 앞장의 학습 플래너를 이용하여 학습 스케줄을 관리하도록 하세요!

원리 ❶ 99까지의 수 알아보기

◎ 몇십 알아보기

- 10개씩 묶음 6개를 60이라 하고 육십, 예순이라고 읽습니다.
- 10개씩 묶음 7개를 70이라 하고 칠십, 일흔이라고 읽습니다.
- 10개씩 묶음 8개를 80이라 하고 팔십, 여든이라고 읽습니다.
- 10개씩 묶음 9개를 90이라 하고 구십, 아흔이라고 읽습니다.

◎ 99까지의 수 알아보기

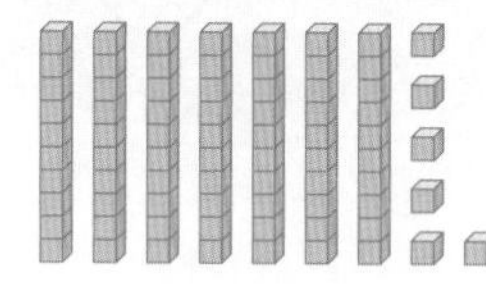

10개씩 묶음 7개와 낱개 6개를 76이라 하고 칠십육, 일흔여섯이라고 읽습니다.

조심이

칠십여섯, 일흔육이라고 읽지 않도록 해.

칠십, 팔십, 구십 ＞ 육　　일흔, 여든, 아흔 ＞ 여섯

이라고 읽어.

수 모형을 보고 빈칸에 알맞은 수를 써넣으세요.

1

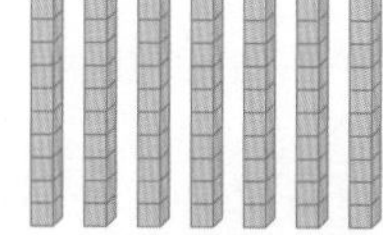

10개씩 묶음 □개

➡ □

2

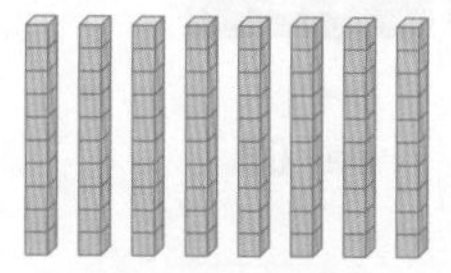

10개씩 묶음 □개

➡ □

3

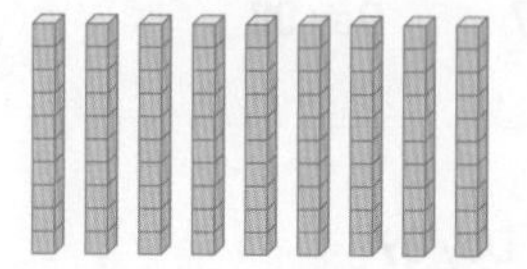

10개씩 묶음 □개

➡ □

4

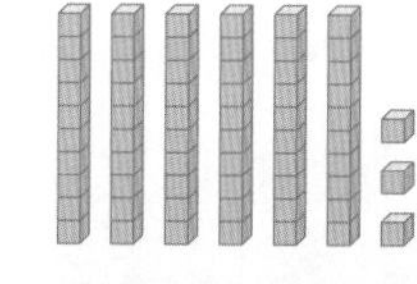

10개씩 묶음 □개와 낱개 □개

➡ □

5

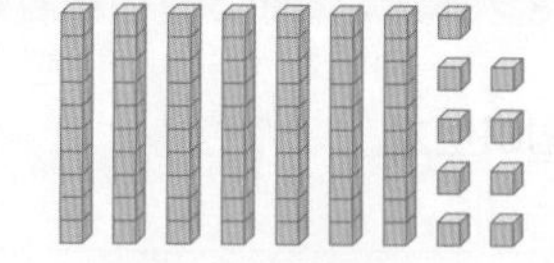

10개씩 묶음 □개와 낱개 □개

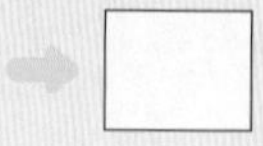

➡ □

6

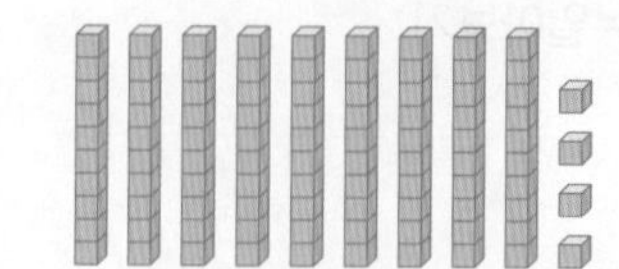

10개씩 묶음 □개와 낱개 □개

➡ □

정답 ➡ 1쪽

월 일	분	개
학습 날짜	학습 시간	맞힌 개수

7 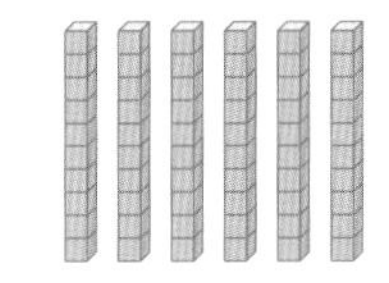

10개씩 묶음

➡ 나타내는 수: ☐

8 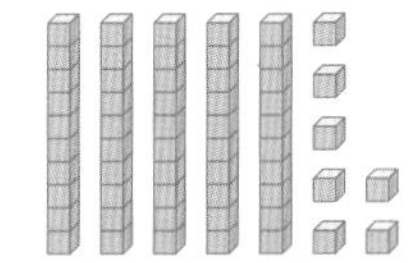

10개씩 묶음	낱개

➡ 나타내는 수: ☐

9 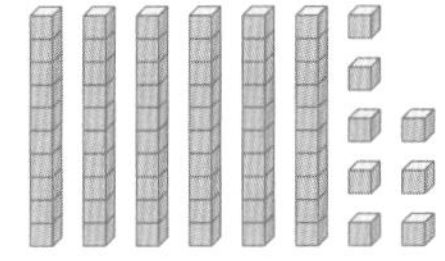

10개씩 묶음	낱개

➡ 나타내는 수: ☐

10 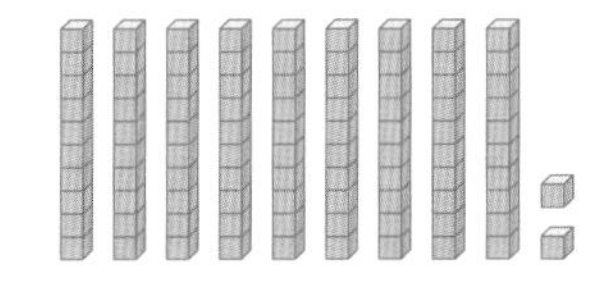

10개씩 묶음	낱개

➡ 나타내는 수: ☐

11 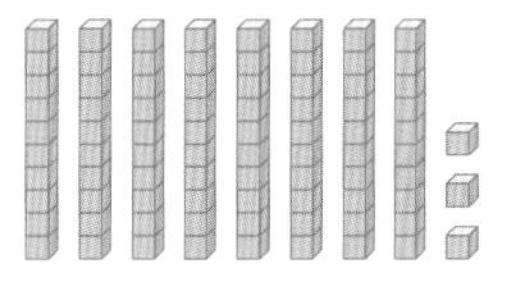

10개씩 묶음	낱개

➡ 나타내는 수: ☐

12 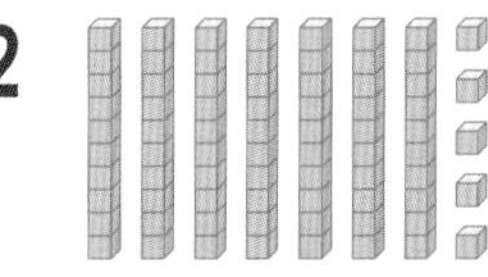

10개씩 묶음	낱개

➡ 나타내는 수: ☐

13 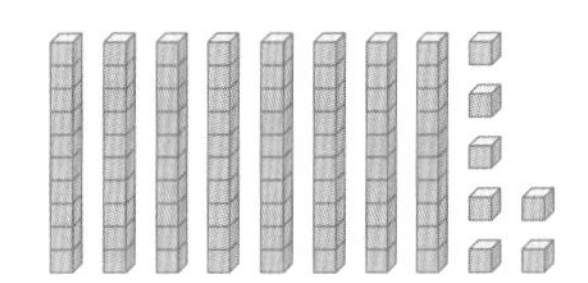

10개씩 묶음	낱개

➡ 나타내는 수: ☐

14 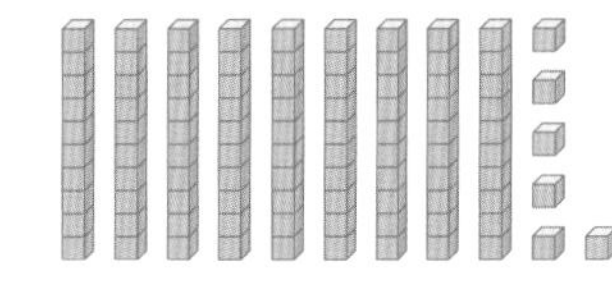

10개씩 묶음	낱개

➡ 나타내는 수: ☐

❶ 99까지의 수 알아보기

:: 수를 세어 쓰고, 읽어 보세요.

1

☐ 읽기 ________, ________

2

☐ 읽기 ________, ________

3

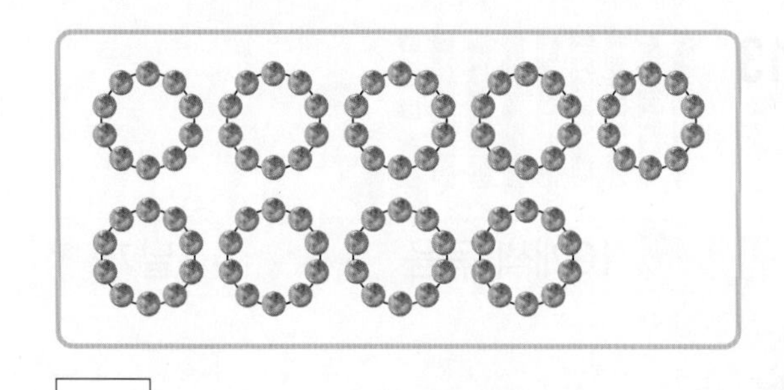

☐ 읽기 ________, ________

4

☐ 읽기 ________, ________

5

☐ 읽기 ________, ________

6

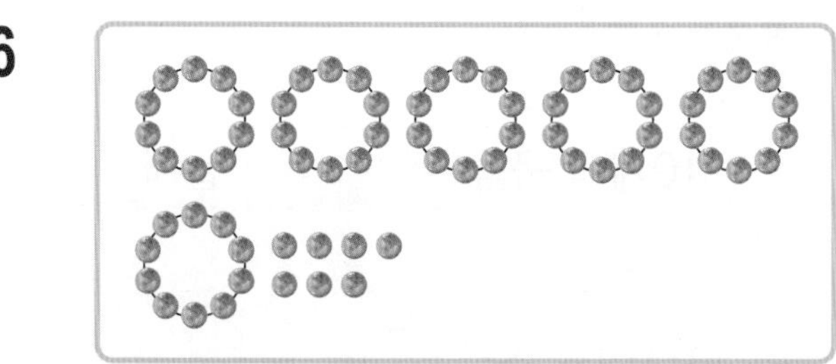

☐ 읽기 ________, ________

7

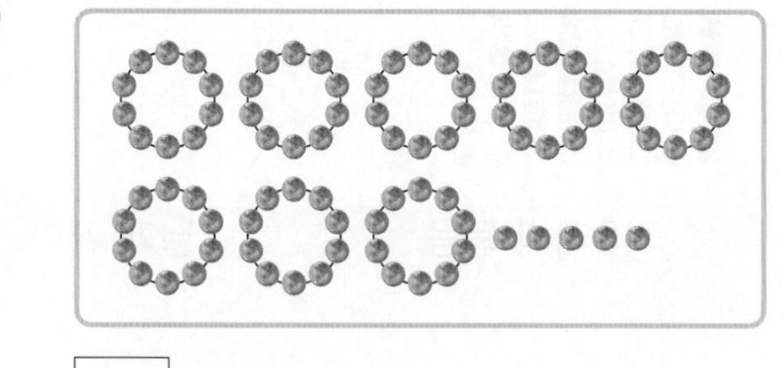

☐  ________, ________

8

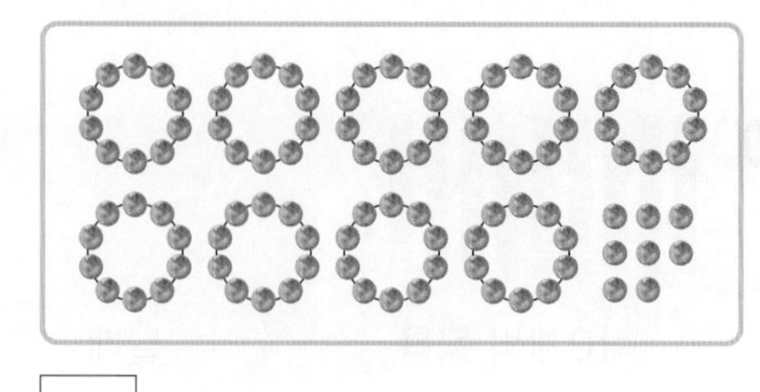

☐ 읽기 ________, ________

월 일	분	개
학습 날짜	학습 시간	맞힌 개수

:: 수를 읽어 보세요.

9

10

11
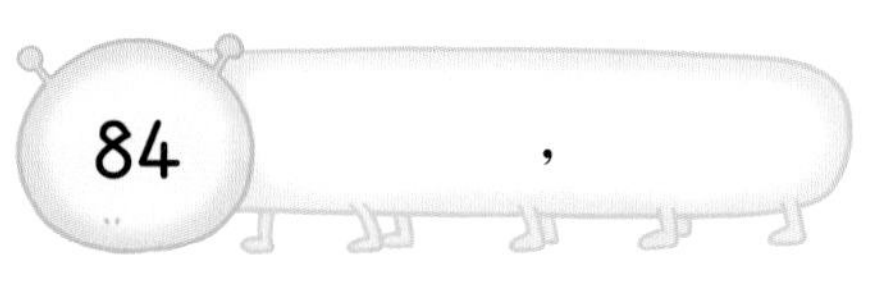

12

13
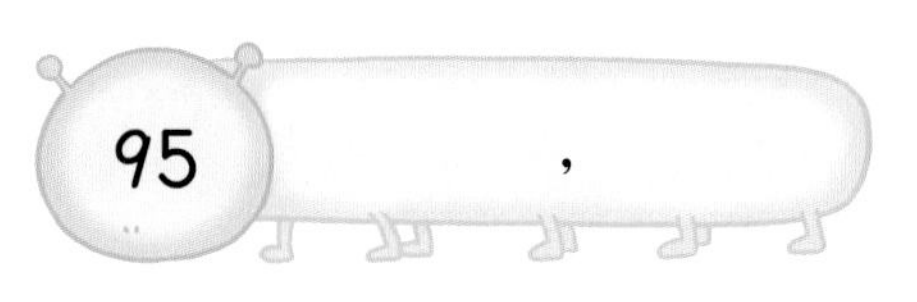

14
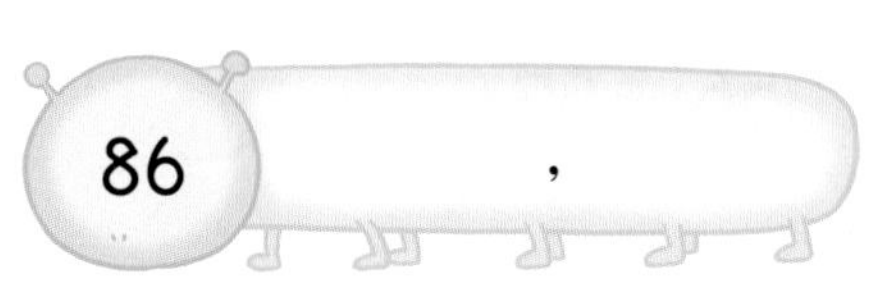

15
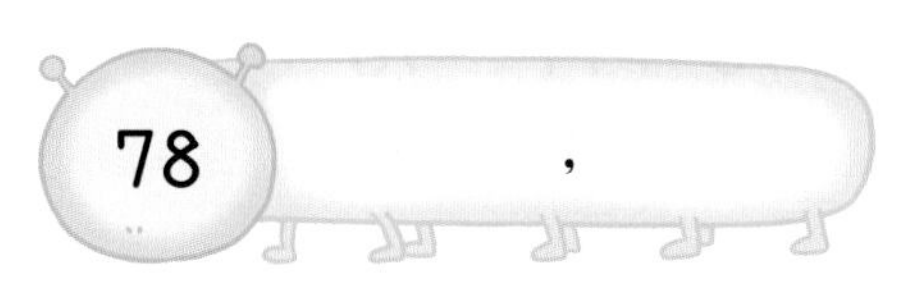

16

:: 숫자로 쓰세요.

17
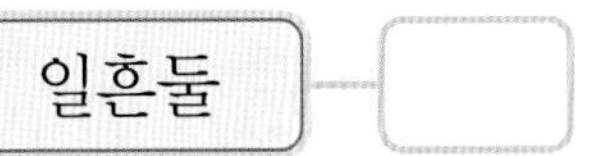

18
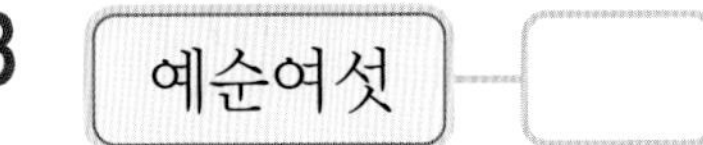

19

20
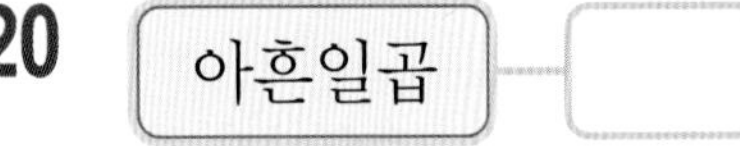

21
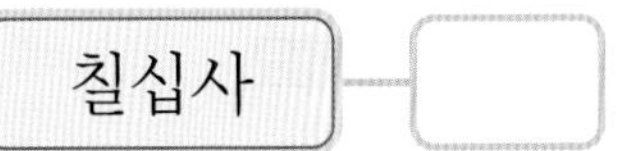

22
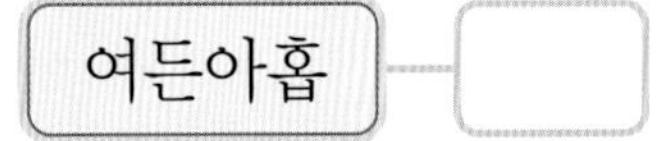

실력 up

23 초콜릿의 수를 쓰고, 읽어 보세요.

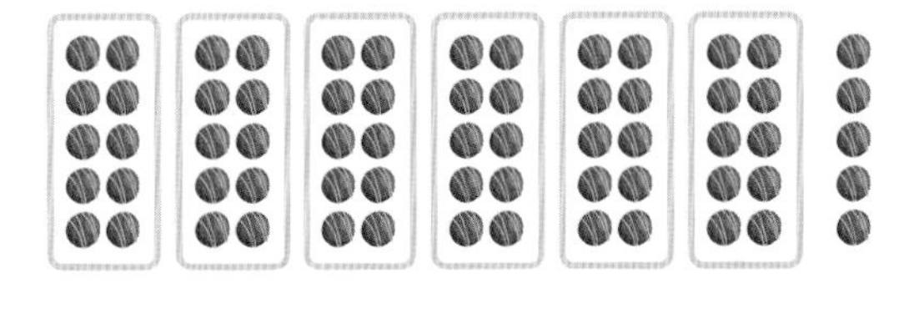

쓰기

읽기 ,

❷ 수의 순서 알아보기

● 수의 순서 알아보기

67 68 69 70 71 72 73 74 75

1만큼 더 작은 수 — 1만큼 더 큰 수

69 — 70 — 71

- 70보다 1만큼 더 작은 수는 69이고, 70보다 1만큼 더 큰 수는 71입니다.
- 69와 71 사이의 수는 70입니다.

● 100 알아보기

99보다 1만큼 더 큰 수를 100이라 하고 백이라고 읽습니다.

뿜뿜이: 99보다 1만큼 더 큰 수는 두 자리 수로 나타낼 수 없기 때문에 세 자리 수인 100으로 나타내!

빈 곳에 알맞은 수를 써넣으세요.

1. 58, 59, 60, 61, ☐, ☐

2. 82, 83, 84, 85, ☐, ☐

3. 64, 65, 66, ☐, ☐, ☐

4. 75, 76, 77, 78, ☐, ☐

5. 66, 67, 68, ☐, ☐, ☐

6. 70, 71, 72, 73, ☐, ☐

7. 55, 56, 57, ☐, ☐, ☐

8. 95, 96, 97, 98, ☐, ☐

9. 86, 87, ☐, ☐, ☐, 91

10. 69, ☐, ☐, ☐, 73, 74

빈 곳에 알맞은 수를 써넣으세요.

11

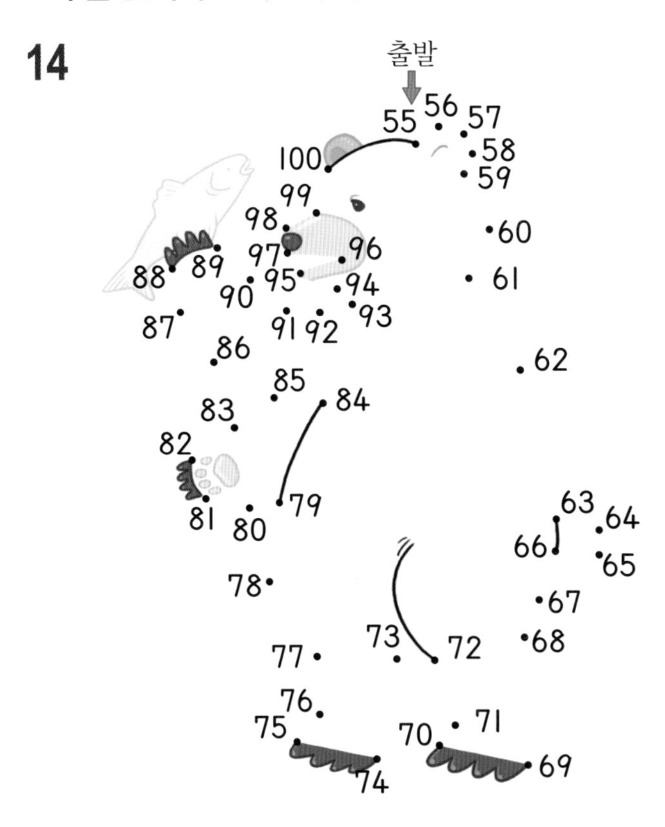

12

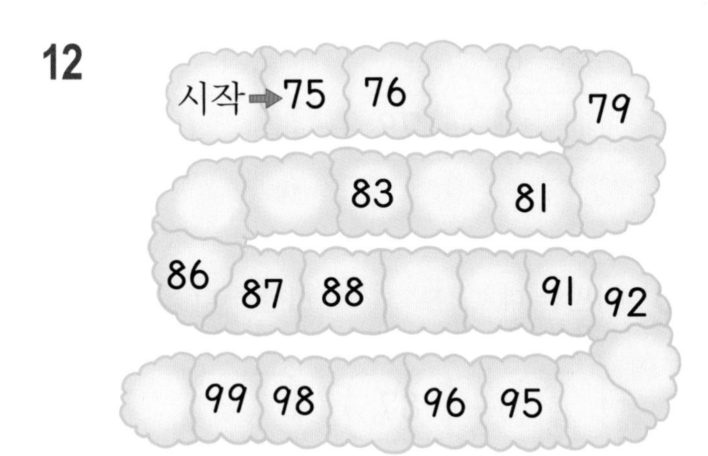

13

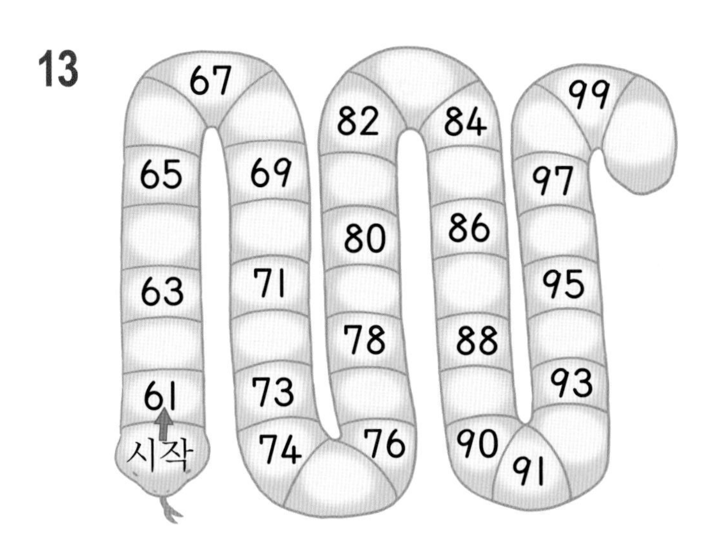

수를 순서대로 이으세요.

14

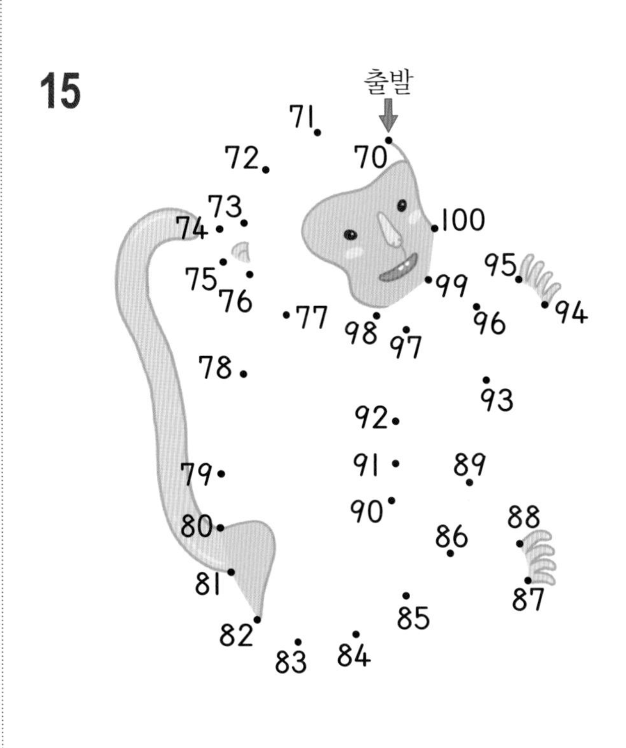

15

❷ 수의 순서 알아보기

빈칸에 알맞은 수를 써넣으세요.

1

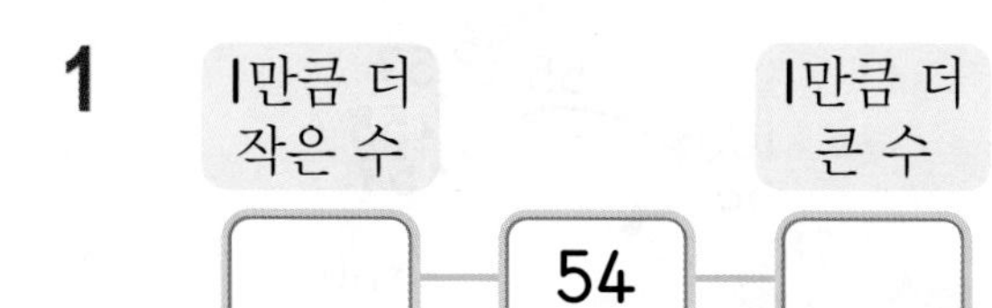

2

3

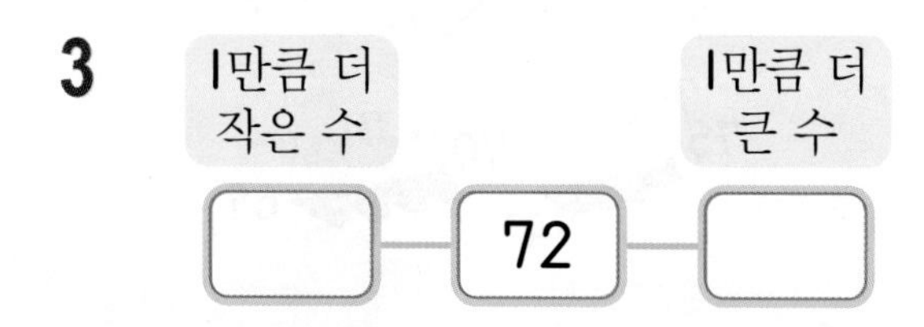

4

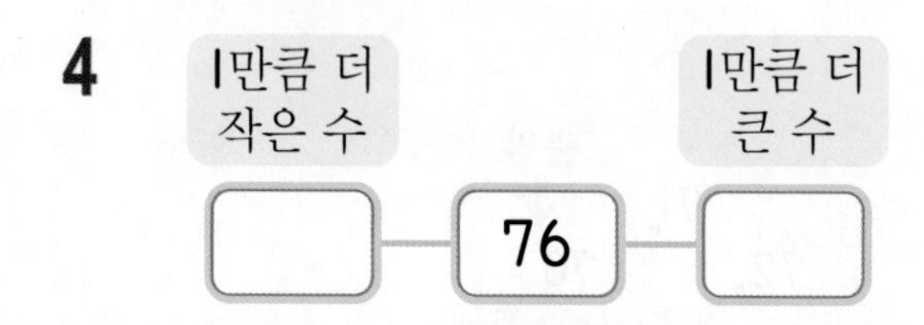

5

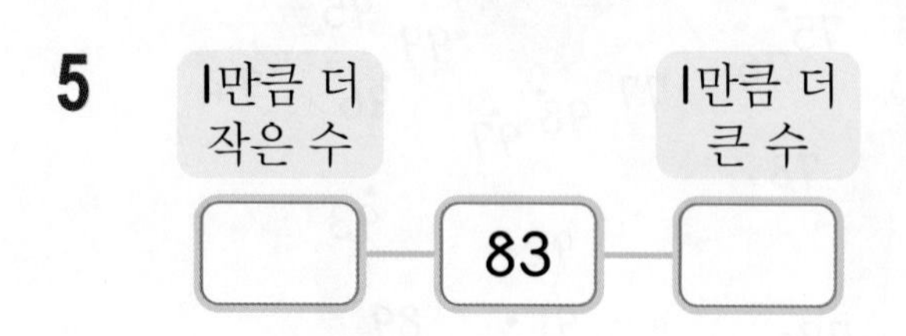

6

7

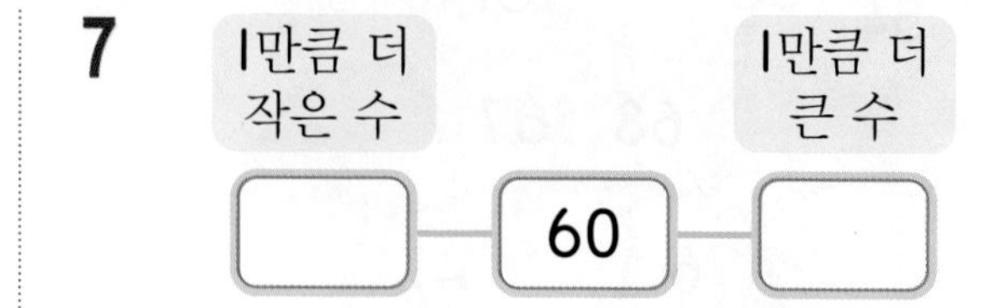

8

9

10

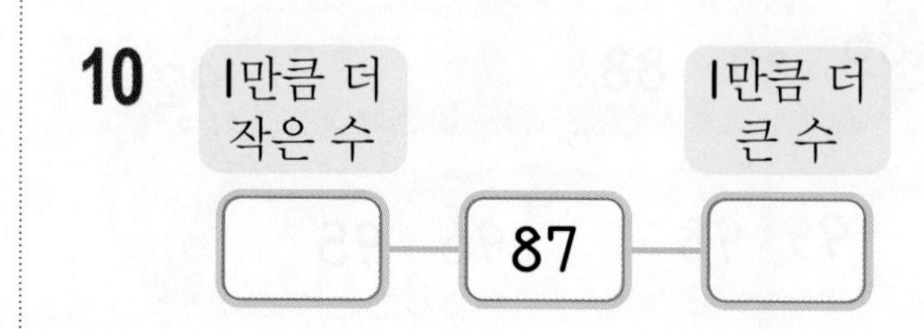

11

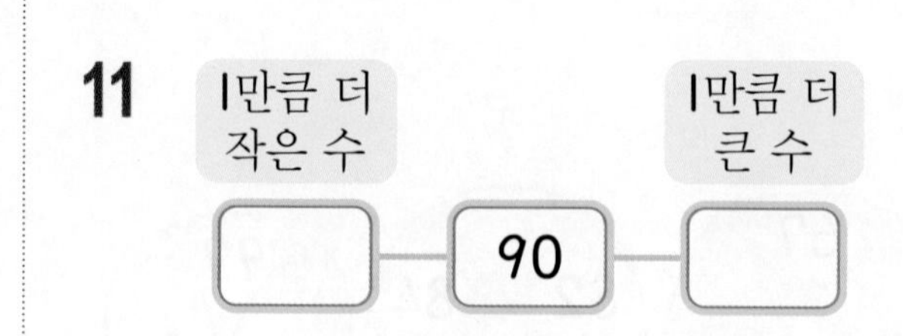

12

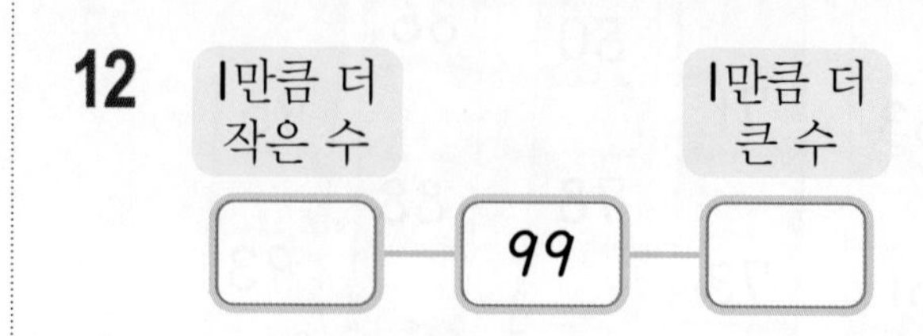

빈 곳에 알맞은 수를 써넣으세요.

13 50, □, 52, 53, □, 55

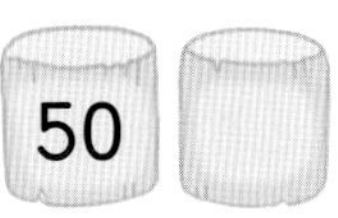  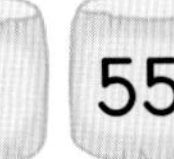

14 69, □, □, 72, □, 74

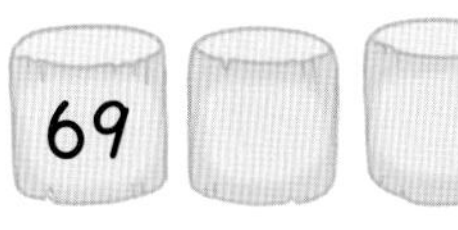 

15 63, 64, □, □, □, 68

16 □, 71, 72, □, □, 75

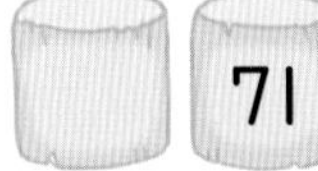 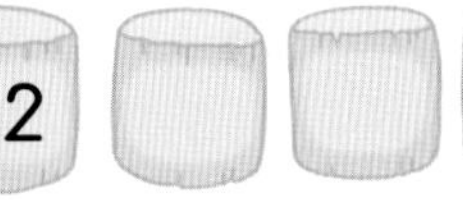

17 85, □, 87, 88, □, 90

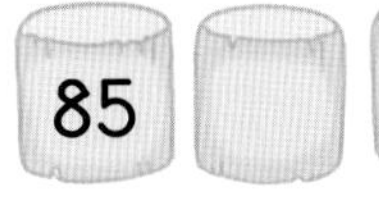  

18 57, 58, □, □, □, 62

  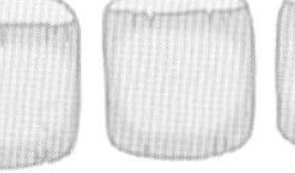

19 79, □, □, 82, 83, □

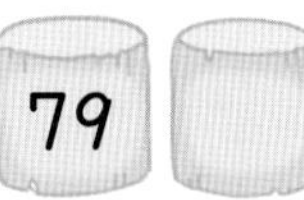 

20 87, 88, 89, □, □, □

   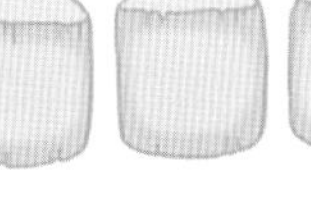 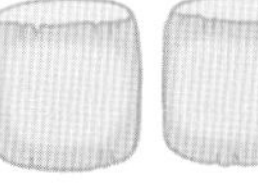

21 □, 68, □, □, 71, □

  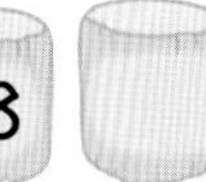   

22 95, 96, □, □, 99, □

23 □, 81, □, □, 84, □

  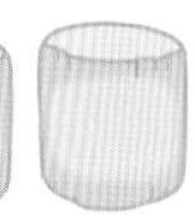  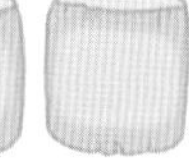

24 □, □, 90, □, 92, □

   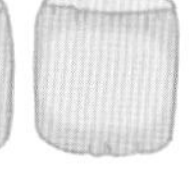

25 □, 96, □, 98, □, □

   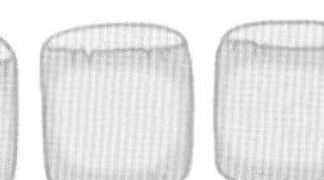

실력 up

26 민준이가 설명하는 수를 구하세요.

답 ____________

원리

❸ 두 수의 크기 비교

원리 동영상 강의

● 72와 65의 크기 비교

10개씩 묶음의 수가 큰 수가 더 큽니다.

➡ 72는 65보다 큽니다. → 65는 72보다 작습니다.

➡ 72 > 65
(7 > 6)

● 85와 87의 크기 비교

10개씩 묶음의 수가 같으면 낱개의 수가 큰 수가 더 큽니다.

➡ 85는 87보다 작습니다. → 87은 85보다 큽니다.

➡ 85 < 87
(5 < 7)

조심이

10개씩 묶음의 수를 먼저 비교해야 해.

58 > 70 (8 > 0) ✗

58 < 70 (5 < 7) ○

두 수의 크기를 비교하여 ○ 안에 > 또는 < 를 알맞게 써넣으세요.

1 81 ○ 57
(8 ○ 5)

2 59 ○ 95
(5 ○ 9)

3 64 ○ 73
(6 ○ 7)

4 90 ○ 63
(9 ○ 6)

5 82 ○ 74
(8 ○ 7)

6 53 ○ 55
(3 ○ 5)

7 68 ○ 69
(8 ○ 9)

8 76 ○ 72
(6 ○ 2)

9 87 ○ 84
(7 ○ 4)

10 93 ○ 96
(3 ○ 6)

두 수의 크기를 비교하여 ○ 안에 > 또는 <를 써넣고, 알맞은 말에 ○표 하세요.

11 54 ○ 60

- 54는 60보다 (작습니다 , 큽니다).
- 60은 54보다 (작습니다 , 큽니다).

12 73 ○ 56

- 73은 56보다 (작습니다 , 큽니다).
- 56은 73보다 (작습니다 , 큽니다).

13 91 ○ 67

- 91은 67보다 (작습니다 , 큽니다).
- 67은 91보다 (작습니다 , 큽니다).

14 68 ○ 86

- 68은 86보다 (작습니다 , 큽니다).
- 86은 68보다 (작습니다 , 큽니다).

15 76 ○ 93

- 76은 93보다 (작습니다 , 큽니다).
- 93은 76보다 (작습니다 , 큽니다).

16 73 ○ 77

- 73은 77보다 (작습니다 , 큽니다).
- 77은 73보다 (작습니다 , 큽니다).

17 83 ○ 88

- 83은 88보다 (작습니다 , 큽니다).
- 88은 83보다 (작습니다 , 큽니다).

18 69 ○ 66

- 69는 66보다 (작습니다 , 큽니다).
- 66은 69보다 (작습니다 , 큽니다).

19 98 ○ 95

- 98은 95보다 (작습니다 , 큽니다).
- 95는 98보다 (작습니다 , 큽니다).

20 74 ○ 78

- 74는 78보다 (작습니다 , 큽니다).
- 78은 74보다 (작습니다 , 큽니다).

③ 두 수의 크기 비교

⁘ 두 수의 크기를 비교하여 ○ 안에 > 또는 <를 알맞게 써넣으세요.

1 80 ○ 61

2 74 ○ 59

3 57 ○ 92

4 77 ○ 68

5 89 ○ 90

6 78 ○ 87

7 84 ○ 69

8 75 ○ 91

9 59 ○ 57

10 63 ○ 64

11 62 ○ 67

12 75 ○ 78

13 82 ○ 84

14 88 ○ 87

15 96 ○ 94

16 92 ○ 95

가장 큰 수에 ○표 하세요.

17 57 80 76

18 56 52 61

19 81 63 78

20 82 77 87

21 96 88 93

22 85 83 81

23 69 92 90

24 81 79 87

가장 작은 수에 △표 하세요.

25 62 58 80

26 79 92 76

27 66 61 73

28 72 80 67

29 74 79 76

30 87 80 83

실력 up

31 승아는 고구마를 91개, 지훈이는 82개, 민우는 89개 캤습니다. 누가 고구마를 가장 적게 캤을까요?

답 ______

원리 ❹ 짝수와 홀수 알아보기

원리 동영상 강의

○ 짝수와 홀수 알아보기

- 2, 4, 6, 8, 10과 같이 둘씩 짝을 지을 수 있는 수를 짝수라고 합니다.
- 1, 3, 5, 7, 9와 같이 둘씩 짝을 지을 수 없는 수를 홀수라고 합니다.

예

5 → 홀수

6 → 짝수

뿜뿜이

■▲에서 ■0은 둘씩 짝을 지을 수 있으므로 ▲가 짝수이면 ■▲가 짝수, ▲가 홀수이면 ■▲가 홀수야.

21 → 홀수
37 → 홀수
46 → 짝수

⁘ 짝수인지 홀수인지 ○표 하세요.

1

짝수 홀수

2

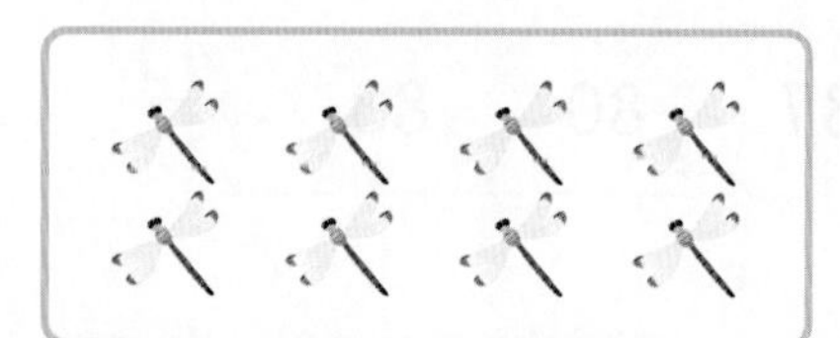

짝수 홀수

3

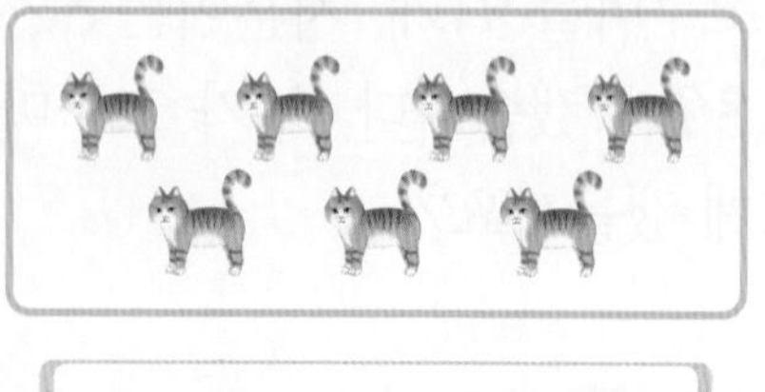

짝수 홀수

4

짝수 홀수

5

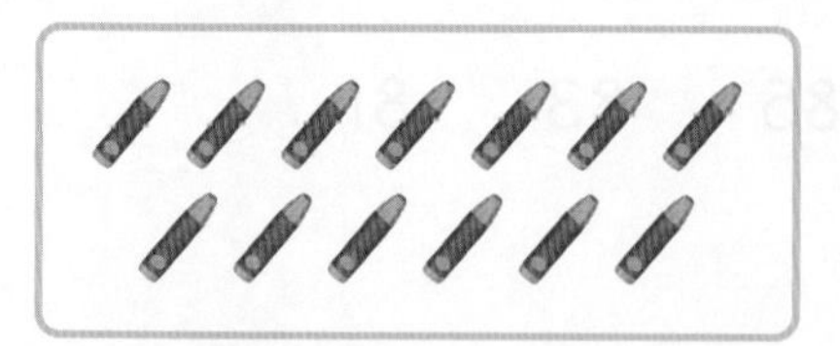

짝수 홀수

6

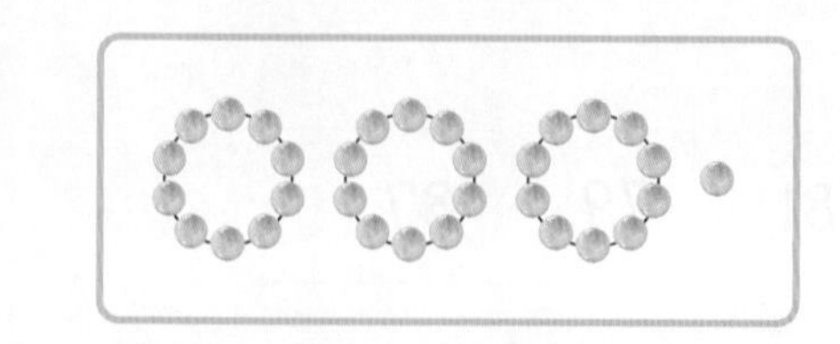

짝수 홀수

짝수인지 홀수인지 쓰세요.

7

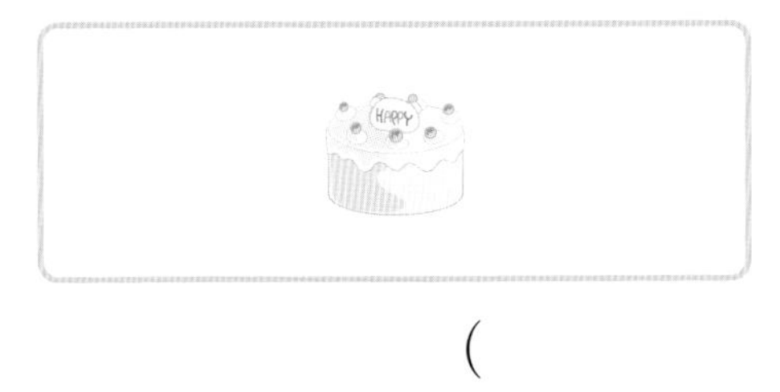

(　　　　　　　　)

8

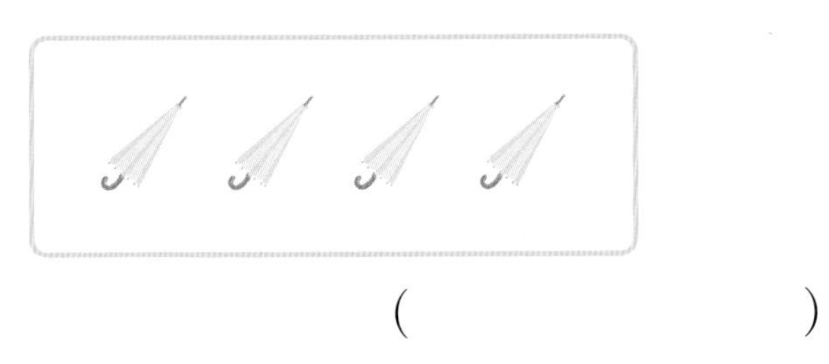

(　　　　　　　　)

9

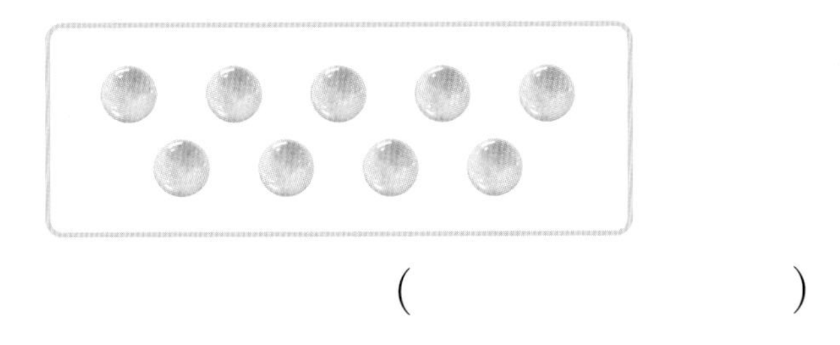

(　　　　　　　　)

10

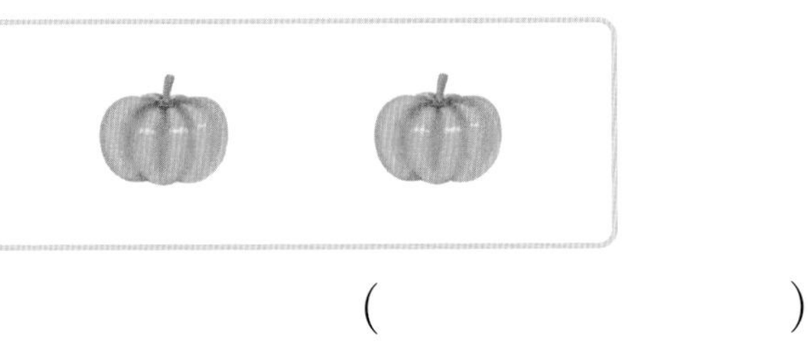

(　　　　　　　　)

11

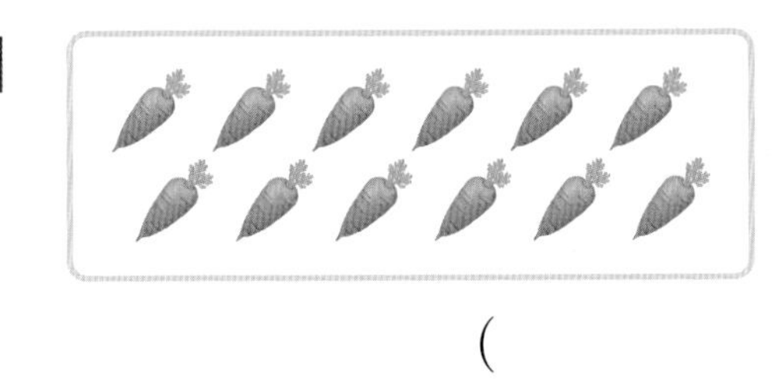

(　　　　　　　　)

12

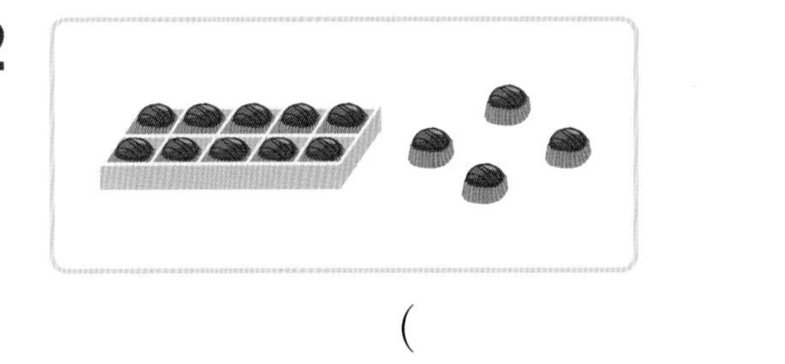

(　　　　　　　　)

13

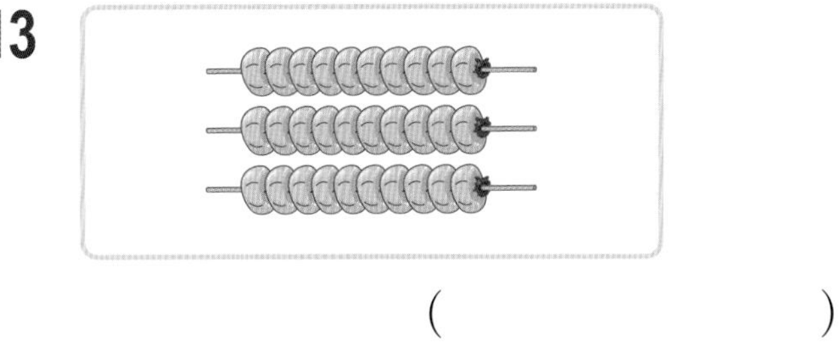

(　　　　　　　　)

14

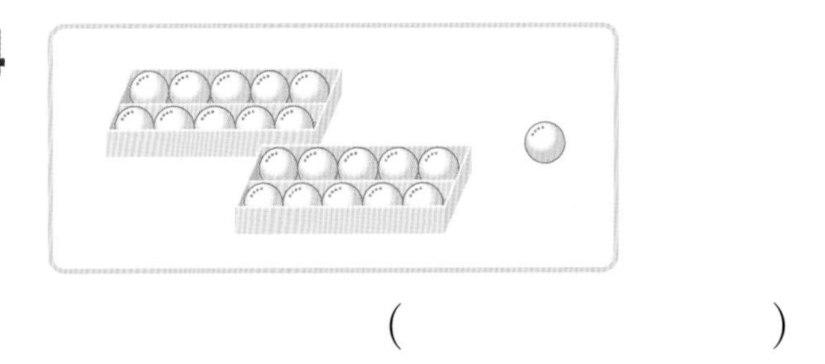

(　　　　　　　　)

15

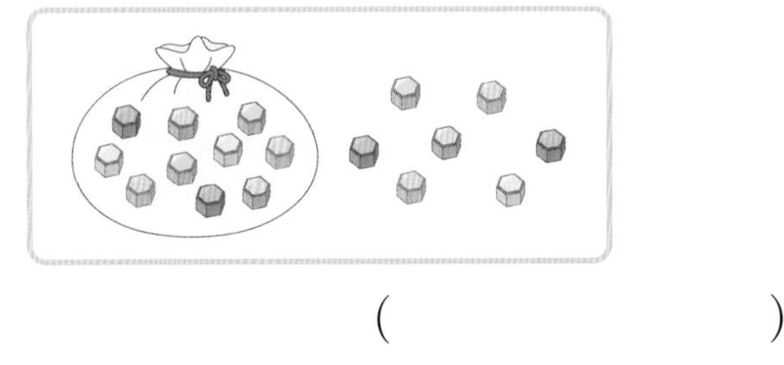

(　　　　　　　　)

16

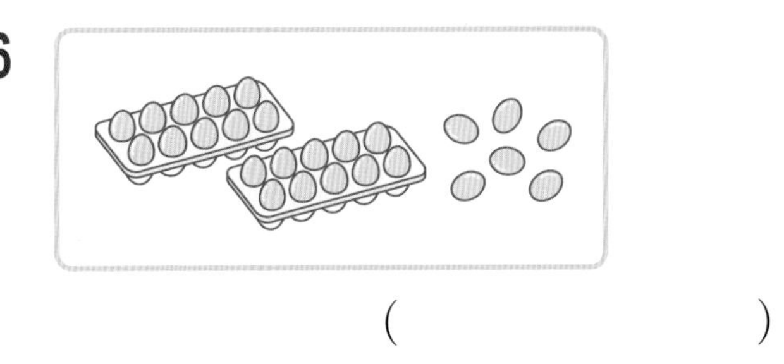

(　　　　　　　　)

❹ 짝수와 홀수 알아보기

짝수인지 홀수인지 쓰세요.

1 7

( )

2 4

( )

3 20

( )

4 13

( )

5 16

( )

6 25

( )

7 50

( )

8 41

( )

9 36

( )

10 19

( )

11 22

( )

12 34

( )

짝수를 모두 찾아 ○표 하세요.

13 14 1 10

14 15 32 23

15 29 38 40

16 9 26 11

17 42 47 53

18 52 33 12

19 61 74 82

홀수를 모두 찾아 △표 하세요.

20 91 83 76

21 18 27 30

22 48 63 75

23 43 24 92

24 70 85 78

실력 up

25 민지가 물어보는 수를 모두 구하세요.

10개씩 묶음이 5개이고, 짝수인 수는?

민지

답 ____________

적용 1. 100까지의 수

빈칸에 알맞은 수나 말을 써넣으세요.

1

10개씩 묶음	낱개
5	8

→ □

읽기 □, □

2

10개씩 묶음	낱개
7	6

→ □

읽기 □, □

3

10개씩 묶음	낱개

→ 64

읽기 □, □

4

10개씩 묶음	낱개

→ 91

읽기 □, □

5

10개씩 묶음	낱개

→ □

읽기 팔십이, □

빈칸에 알맞은 수를 써넣으세요.

6

수	1만큼 더 작은 수	1만큼 더 큰 수
69		

7

수	1만큼 더 작은 수	1만큼 더 큰 수
95		

8

수	1만큼 더 작은 수	1만큼 더 큰 수
80		

9

수	1만큼 더 작은 수	1만큼 더 큰 수
71		

10

수	1만큼 더 작은 수	1만큼 더 큰 수
99		

◯ 안의 수보다 더 큰 수에 모두 ○표 하세요.

11 (59) 70 62 50

12

13

14 (87) 83 90 88

15 (79) 80 75 96

16 (92) 91 85 97

짝수에 모두 ○표, 홀수에 모두 △표 하세요.

17

11	12	13	14	15
16	17	18	19	20

18

34	35	36	37	38
39	40	41	42	43

19

50	51	52	53	54
55	56	57	58	59

20

63	64	65	66	67
68	69	70	71	72

21

78	79	80	81	82
83	84	85	86	87

22

90	91	92	93	94
95	96	97	98	99

1. 100까지의 수

수를 세어 쓰고, 읽어 보세요.

1

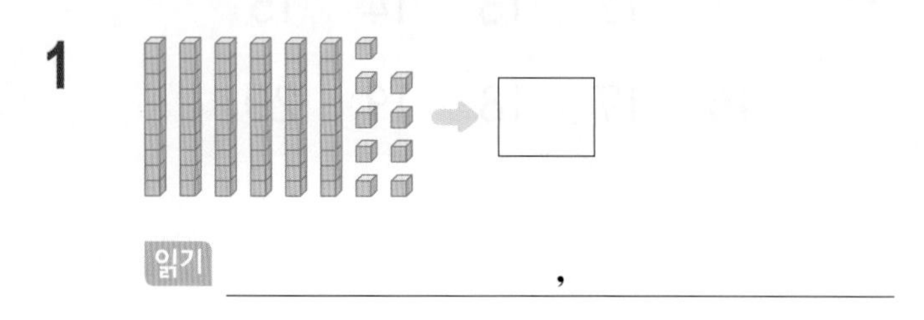

읽기 ____________ , ____________

2

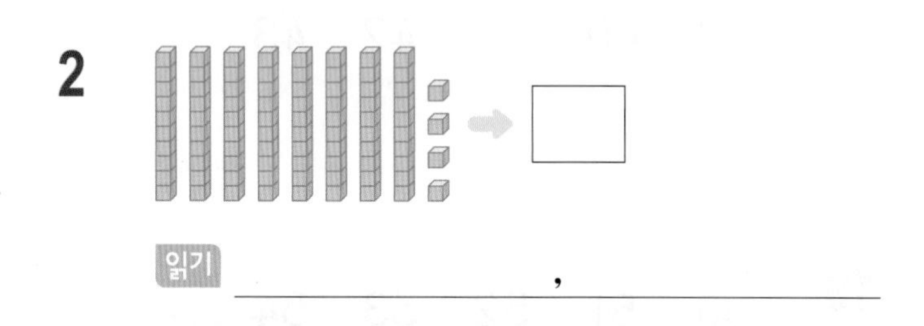

읽기 ____________ , ____________

3

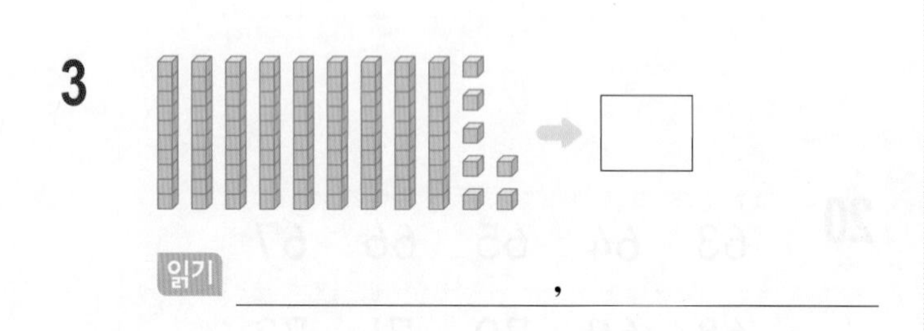

읽기 ____________ , ____________

빈칸에 알맞은 수나 말을 써넣으세요.

4

수	읽기	
85		

5

수	읽기	
	칠십삼	

빈칸에 알맞은 수를 써넣으세요.

6

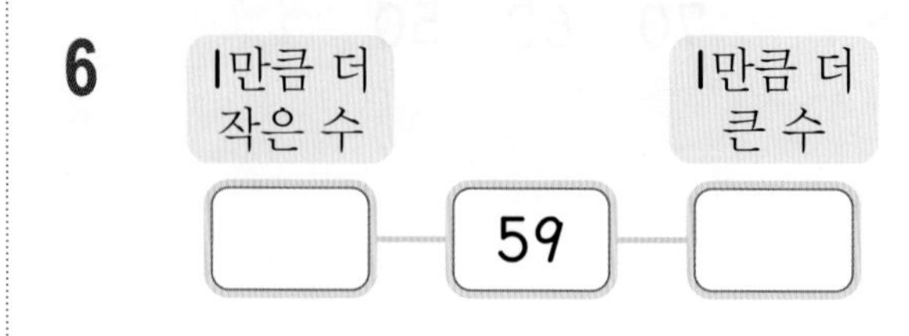

7

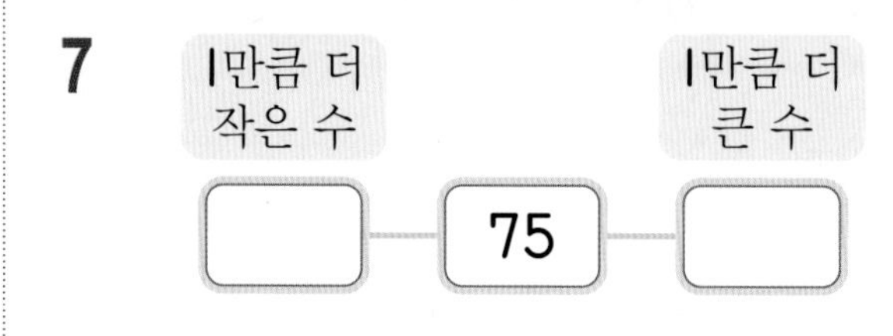

8

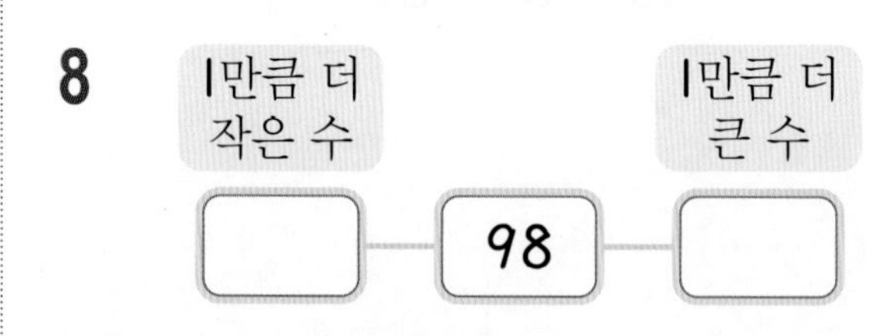

빈 곳에 알맞은 수를 써넣으세요.

9

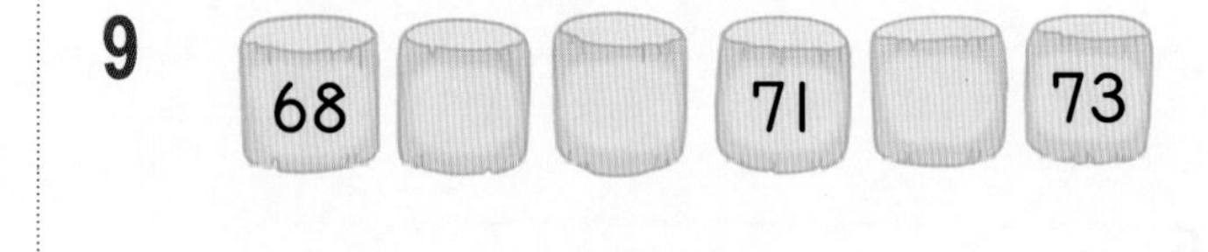

10

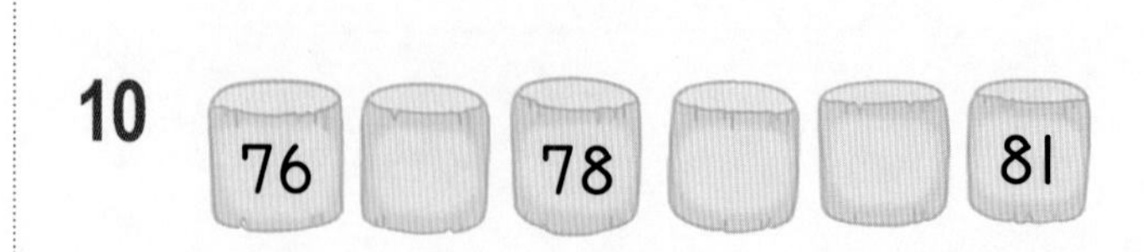

11

두 수의 크기를 비교하여 ○ 안에 > 또는 <를 알맞게 써넣으세요.

12 57 ○ 72

13 68 ○ 64

14 83 ○ 79

15 88 ○ 91

가장 큰 수에 ○표 하세요.

16 64 74 70

17 78 73 81

18 97 92 94

가장 작은 수에 △표 하세요.

19 61 73 57

20 68 84 82

21 77 73 74

짝수인지 홀수인지 쓰세요.

22 8

( )

23 17

( )

24 21

( )

25 35

( )

정답 5쪽

빈칸에 알맞은 수나 말을 써넣으세요.

26

10개씩 묶음	낱개
6	2

→ □

읽기 □, □

27

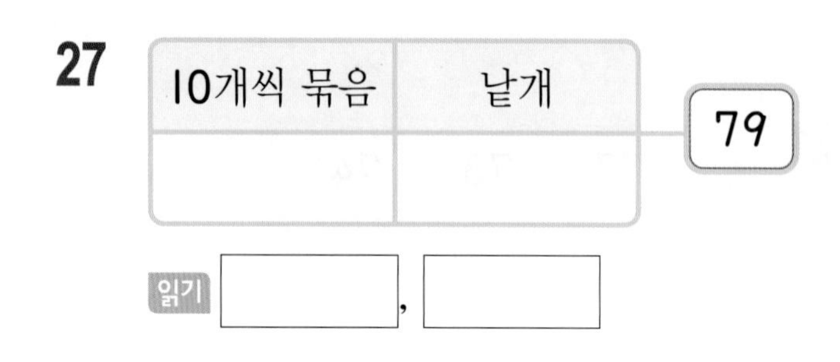

28

10개씩 묶음	낱개

→ □

읽기 팔십팔, □

빈칸에 알맞은 수를 써넣으세요.

29

수	1만큼 더 작은 수	1만큼 더 큰 수
93		

30

수	1만큼 더 작은 수	1만큼 더 큰 수
70		

31

수	1만큼 더 작은 수	1만큼 더 큰 수
89		

◯ 안의 수보다 더 큰 수에 모두 ○표 하세요.

32 (84) 91 79 85

33 (67) 75 69 66

34 (78) 73 69 81

짝수에 모두 ○표, 홀수에 모두 △표 하세요.

35

26	27	28	29	30
31	32	33	34	35

36

41	42	43	44	45
46	47	48	49	50

37

73	74	75	76	77
78	79	80	81	82

2 덧셈 (1)

학습 계획표

학습 내용	원리	연습	적용
❶ (몇십)+(몇)	Day **11**	Day **12**	Day **13**
❷ 받아올림이 없는 (몇십몇)+(몇)	Day **14**	Day **15**	Day **16**
❸ 받아올림이 없는 (몇십)+(몇십)	Day **17**	Day **18**	Day **19**
❹ 받아올림이 없는 (몇십몇)+(몇십몇)	Day **20**	Day **21**	Day **22**
❺ 여러 가지 방법으로 덧셈하기	Day **23**	Day **24**	Day **25**
평가		Day **26**	

학습 관리 **tip** 맨 앞장의 학습 플래너를 이용하여 학습 스케줄을 관리하도록 하세요!

원리

❶ (몇십)+(몇)

● (몇십)+(몇)의 계산 방법

예 20+3의 계산

10개씩 묶음 2개와 낱개 3개를 더하면 23이 됩니다.

	2	0
+		3

→

	2	0
+		3
		3

0+3=3

→

	2	0
+	↓	3
	2	3

그대로 내려 씁니다.

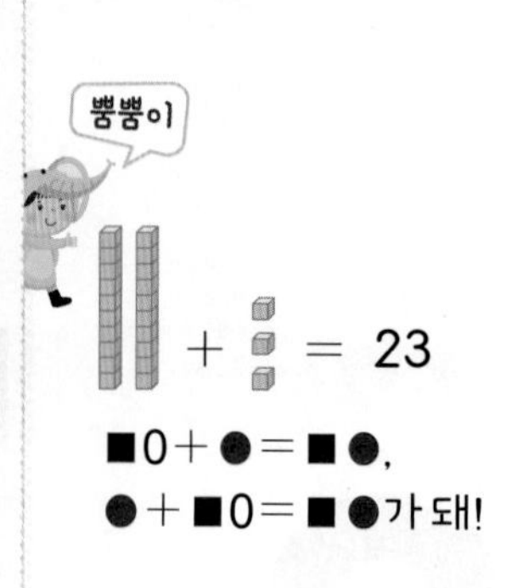

□ 안에 알맞은 수를 써넣으세요.

1

	1	0
+		6
		□

→

	1	0
+		6
	□	□

2

	2	0
+		1
		□

→

	2	0
+		1
	□	□

3

	3	0
+		4
		□

→

	3	0
+		4
	□	□

4

	5	0
+		2
		□

→

	5	0
+		2
	□	□

5

		4
+	1	0
		□

→

		4
+	1	0
	□	□

6

		5
+	6	0
		□

→

		5
+	6	0
	□	□

7

		7
+	4	0
		□

→

		7
+	4	0
	□	□

8

		8
+	2	0
		□

→

		8
+	2	0
	□	□

계산을 하세요.

9

	1	0
+		2

10

	4	0
+		3

11

	2	0
+		6

12

	7	0
+		5

13

	6	0
+		8

14

	9	0
+		4

15

		7
+	3	0

16

		5
+	1	0

17

		6
+	5	0

18

		8
+	9	0

19

		4
+	7	0

20

		1
+	8	0

연습

❶ (몇십)+(몇)

계산을 하세요.

1
$$\begin{array}{r} 30 \\ +\ \ 2 \\ \hline \end{array}$$

2
$$\begin{array}{r} 40 \\ +\ \ 8 \\ \hline \end{array}$$

3
$$\begin{array}{r} 50 \\ +\ \ 3 \\ \hline \end{array}$$

4
$$\begin{array}{r} 60 \\ +\ \ 1 \\ \hline \end{array}$$

5
$$\begin{array}{r} 80 \\ +\ \ 7 \\ \hline \end{array}$$

6
$$\begin{array}{r} 70 \\ +\ \ 6 \\ \hline \end{array}$$

7
$$\begin{array}{r} 9 \\ +20 \\ \hline \end{array}$$

8
$$\begin{array}{r} 7 \\ +10 \\ \hline \end{array}$$

9
$$\begin{array}{r} 3 \\ +60 \\ \hline \end{array}$$

10
$$\begin{array}{r} 8 \\ +50 \\ \hline \end{array}$$

11
$$\begin{array}{r} 5 \\ +80 \\ \hline \end{array}$$

12
$$\begin{array}{r} 1 \\ +70 \\ \hline \end{array}$$

월 일	분	개
학습 날짜	학습 시간	맞힌 개수

13 10+3

14 40+2

15 60+7

16 30+6

17 50+4

18 70+8

19 7+20

20 5+30

21 9+50

22 3+70

23 2+90

24 6+80

실력 up

25 어느 마트에 참외 40개와 수박 6개가 있습니다. 참외와 수박은 모두 몇 개일까요?

40+6=☐

답 ____________

적용 ❶ (몇십)+(몇)

빈칸에 알맞은 수를 써넣으세요.

1

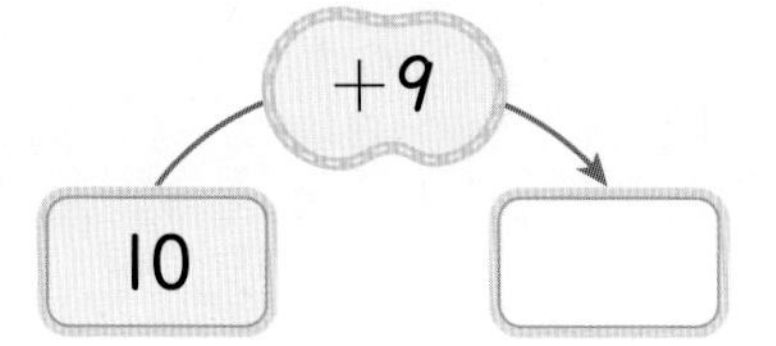

2

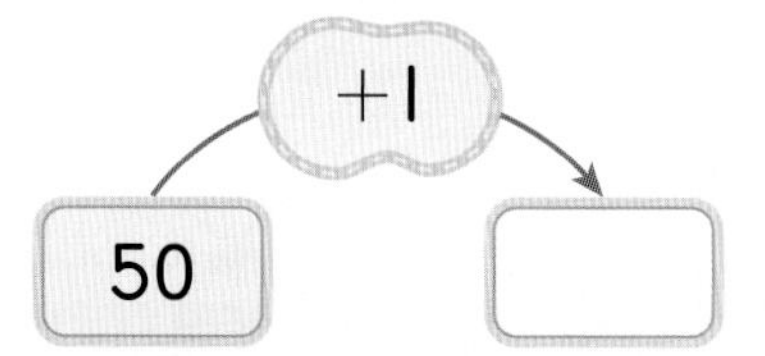

3

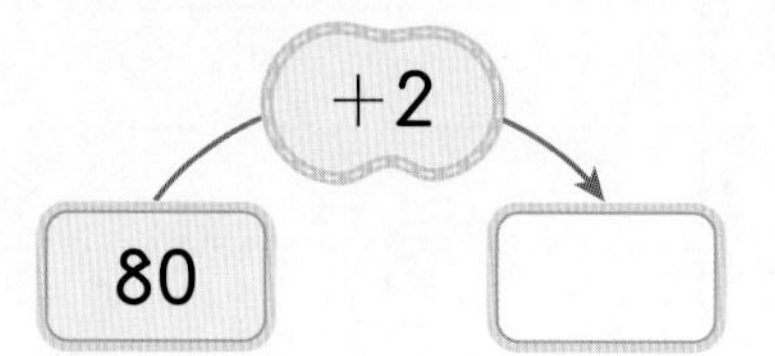

4

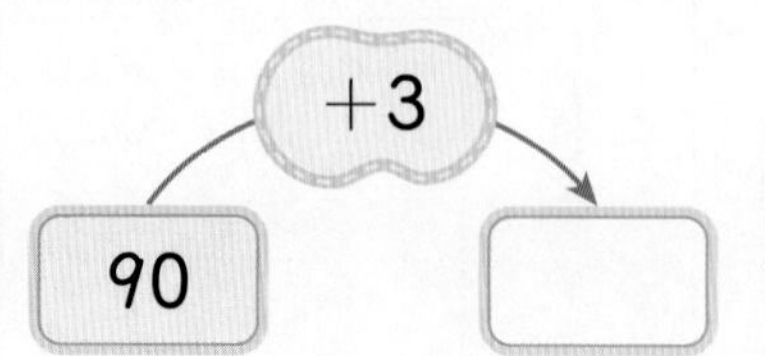

5

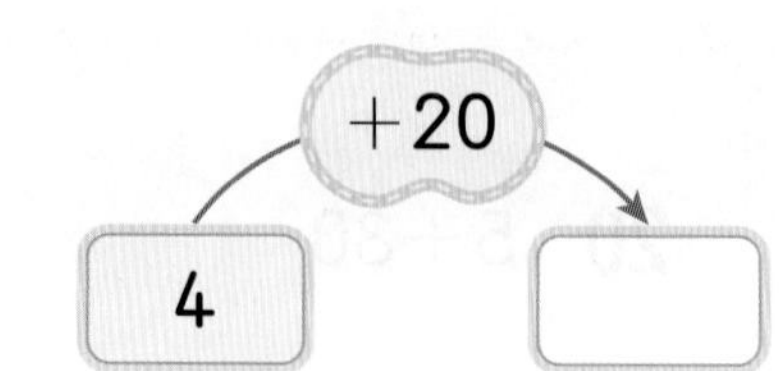

6

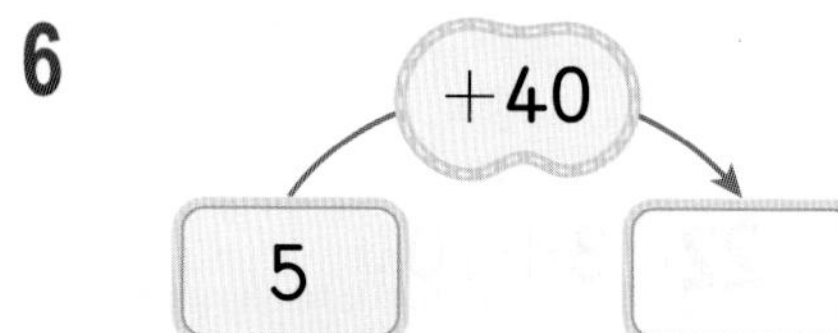

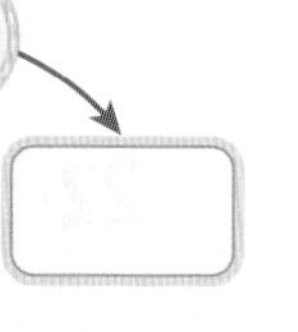

7

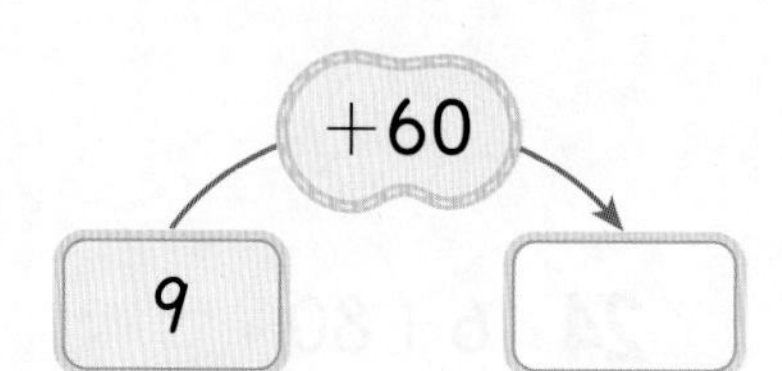

8

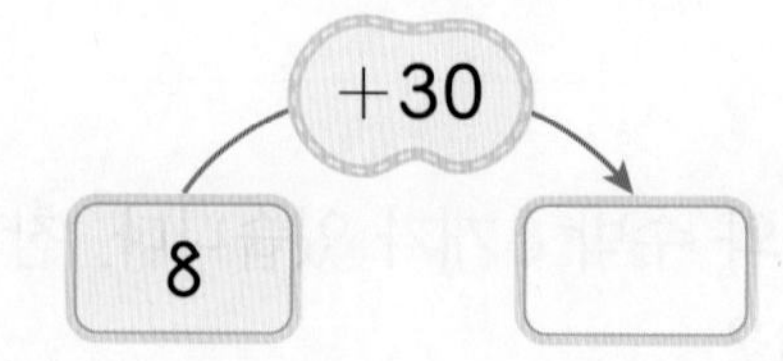

정확성 up!

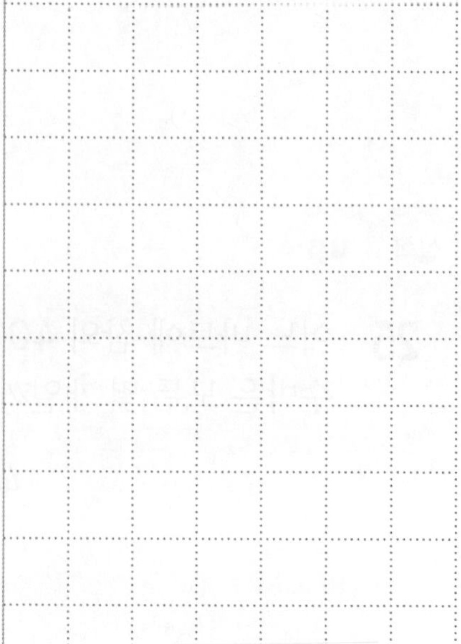

빈 곳에 두 수의 합을 써넣으세요.

9

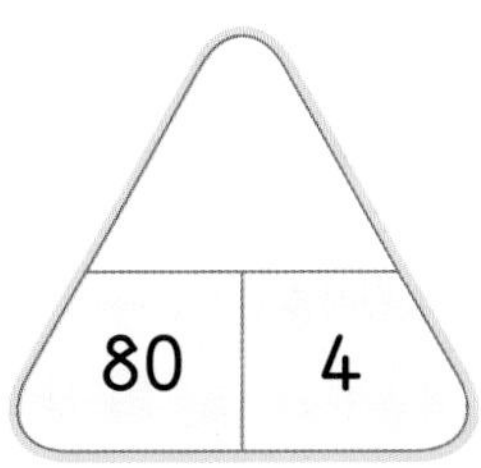

10

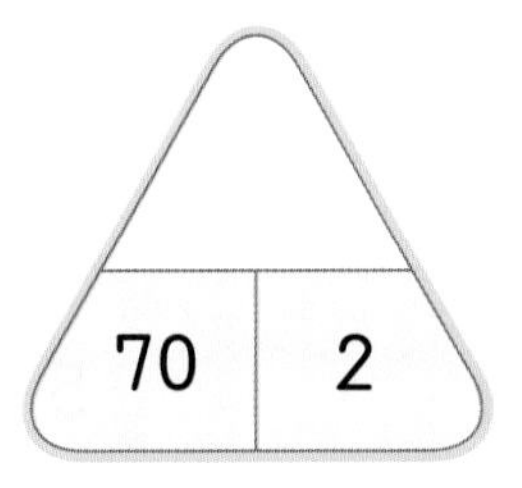

11

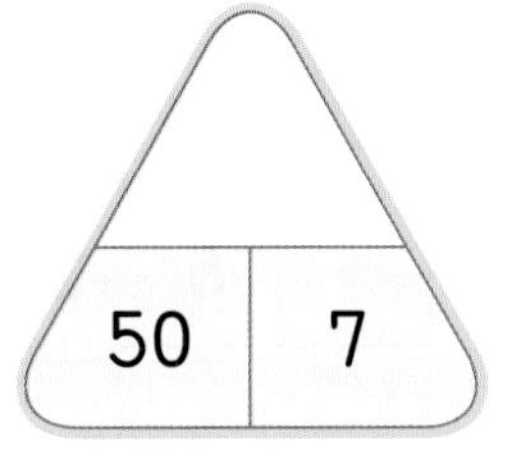

12

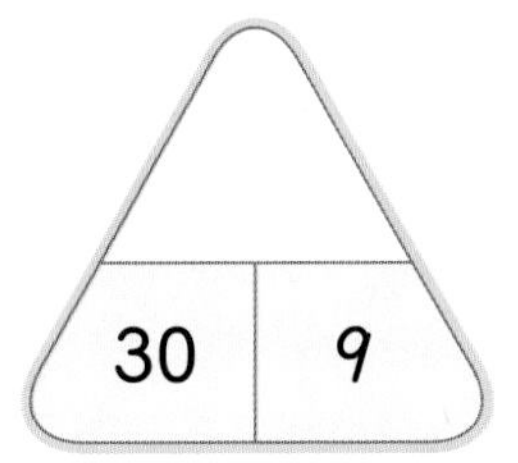

13

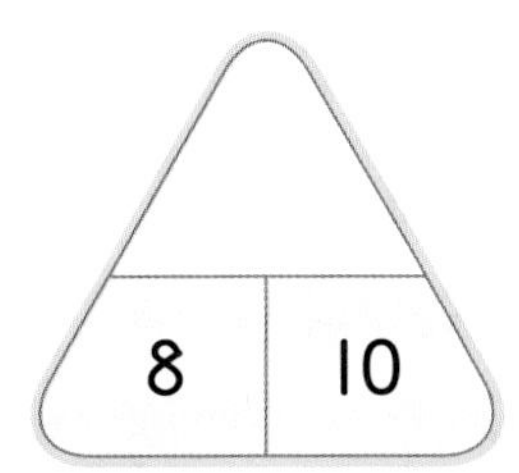

14

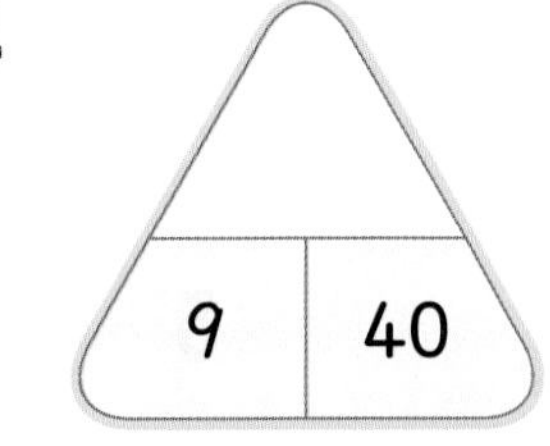

15

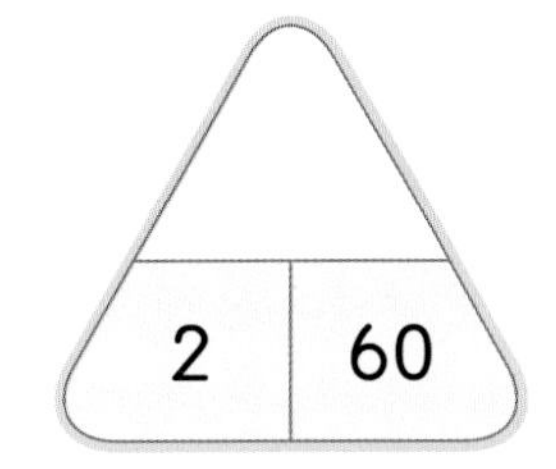

16

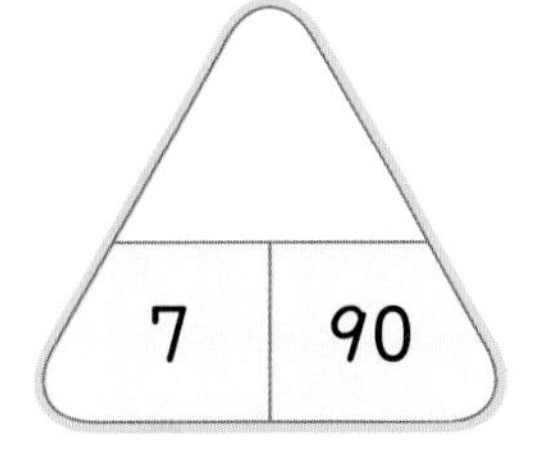

정확성 **up!**

❷ 받아올림이 없는 (몇십몇)+(몇)

● 받아올림이 없는 (몇십몇)+(몇)의 계산 방법

예 21+3의 계산

① 낱개의 수끼리 더하여 낱개의 자리에 씁니다.

② 10개씩 묶음의 수는 그대로 내려 씁니다.

	2	1
+		3

➡

	2	1
+		3
		4

1+3=4

➡

	2	1
+	↓	3
	2	4

그대로 내려 씁니다.

조심이

21+3을 세로셈으로 쓸 때 낱개의 수끼리 더해야 하므로 1과 3을 나란히 써야 해.

	2	1
+	3	
	5	1

✕

	2	1
+		3
	2	4

○

□ 안에 알맞은 수를 써넣으세요.

1

	1	4
+		3
		□

➡

	1	4
+		3
	□	□

2

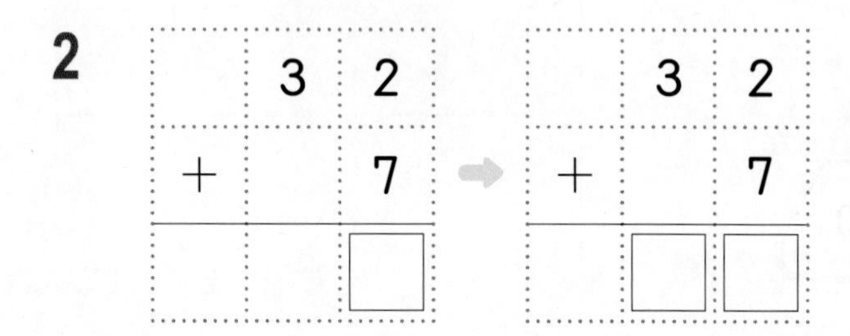

	3	2
+		7
		□

➡

	3	2
+		7
	□	□

3

	7	3
+		2
		□

➡

	7	3
+		2
	□	□

4

	5	6
+		3
		□

➡

	5	6
+		3
	□	□

5

		5
+	4	3
		□

➡

		5
+	4	3
	□	□

6

		4
+	6	2
		□

➡

		4
+	6	2
	□	□

7

		3
+	9	3
		□

➡

		3
+	9	3
	□	□

8

		2
+	8	5
		□

➡

		2
+	8	5
	□	□

계산을 하세요.

9
$$\begin{array}{r} 26 \\ +\ \ 1 \\ \hline \end{array}$$

10
$$\begin{array}{r} 53 \\ +\ \ 2 \\ \hline \end{array}$$

11
$$\begin{array}{r} 72 \\ +\ \ 5 \\ \hline \end{array}$$

12
$$\begin{array}{r} 44 \\ +\ \ 4 \\ \hline \end{array}$$

13
$$\begin{array}{r} 83 \\ +\ \ 3 \\ \hline \end{array}$$

14
$$\begin{array}{r} 95 \\ +\ \ 2 \\ \hline \end{array}$$

15
$$\begin{array}{r} 3 \\ +\ 46 \\ \hline \end{array}$$

16
$$\begin{array}{r} 1 \\ +\ 67 \\ \hline \end{array}$$

17
$$\begin{array}{r} 6 \\ +\ 33 \\ \hline \end{array}$$

18
$$\begin{array}{r} 7 \\ +\ 12 \\ \hline \end{array}$$

19
$$\begin{array}{r} 2 \\ +\ 52 \\ \hline \end{array}$$

20
$$\begin{array}{r} 3 \\ +\ 65 \\ \hline \end{array}$$

연습

❷ 받아올림이 없는 (몇십몇)+(몇)

계산을 하세요.

1
$$\begin{array}{r} 16 \\ +\ \ 3 \\ \hline \end{array}$$

2
$$\begin{array}{r} 38 \\ +\ \ 1 \\ \hline \end{array}$$

3
$$\begin{array}{r} 54 \\ +\ \ 4 \\ \hline \end{array}$$

4
$$\begin{array}{r} 63 \\ +\ \ 6 \\ \hline \end{array}$$

5
$$\begin{array}{r} 94 \\ +\ \ 2 \\ \hline \end{array}$$

6
$$\begin{array}{r} 86 \\ +\ \ 3 \\ \hline \end{array}$$

7
$$\begin{array}{r} 5 \\ +13 \\ \hline \end{array}$$

8
$$\begin{array}{r} 4 \\ +23 \\ \hline \end{array}$$

9
$$\begin{array}{r} 5 \\ +64 \\ \hline \end{array}$$

10
$$\begin{array}{r} 7 \\ +42 \\ \hline \end{array}$$

11
$$\begin{array}{r} 6 \\ +71 \\ \hline \end{array}$$

12
$$\begin{array}{r} 8 \\ +81 \\ \hline \end{array}$$

13 $15+4$

14 $22+3$

15 $41+6$

16 $62+7$

17 $36+2$

18 $92+4$

19 $3+55$

20 $6+32$

21 $3+54$

22 $7+91$

23 $2+74$

24 $5+82$

정확성 up!

실력 up

25 재영이는 밤을 43개 땄고, 승현이는 재영이보다 4개 더 많이 땄습니다. 승현이가 딴 밤은 몇 개일까요?

$43+4=\square$

답

적용 ❷ 받아올림이 없는 (몇십몇)+(몇)

빈 곳에 알맞은 수를 써넣으세요.

1

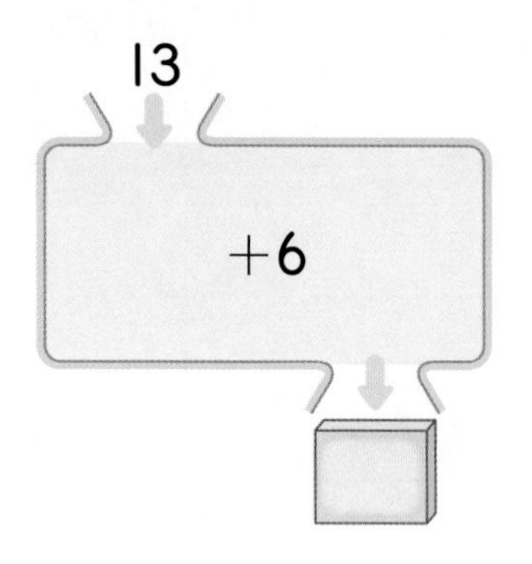

2

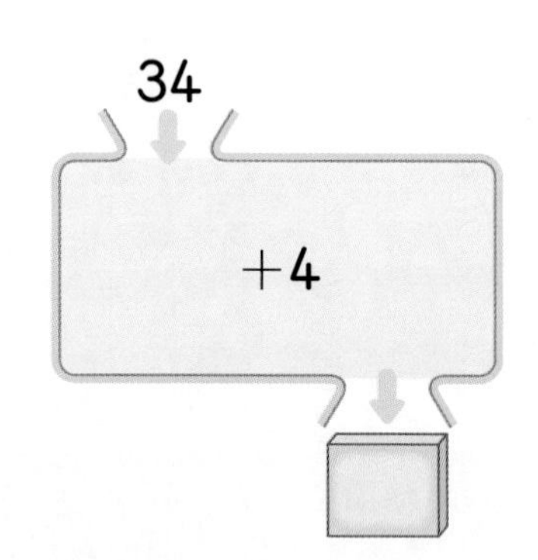

3

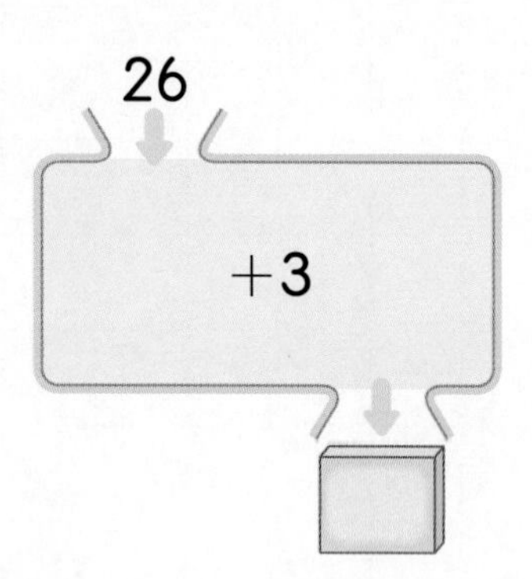

4

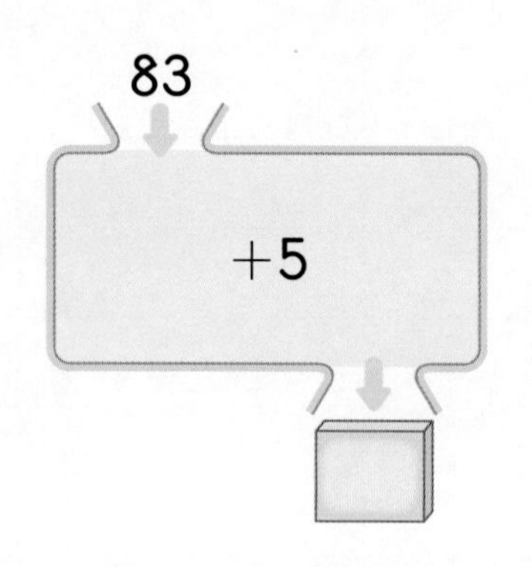

5

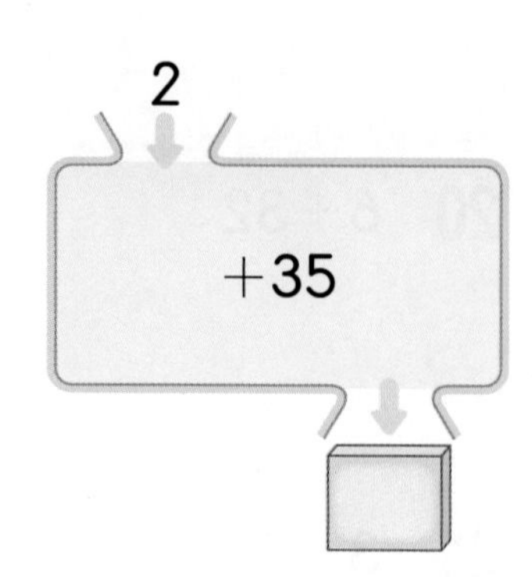

6

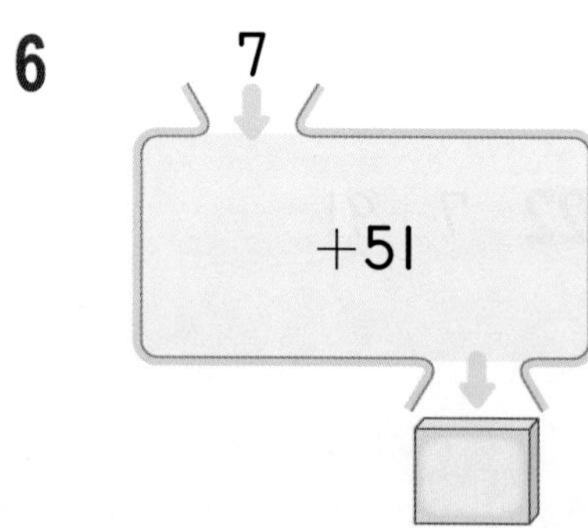

7

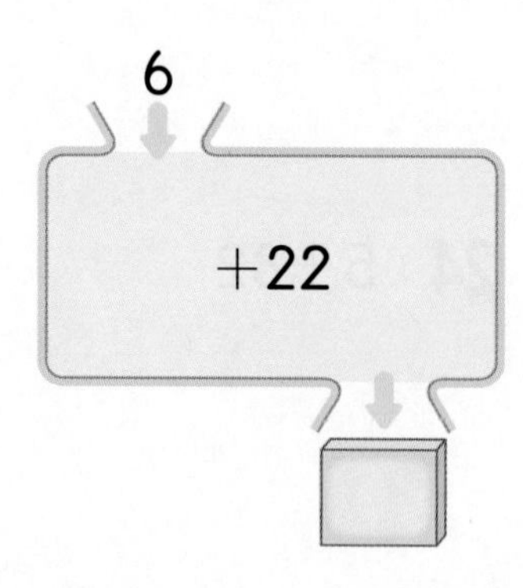

8

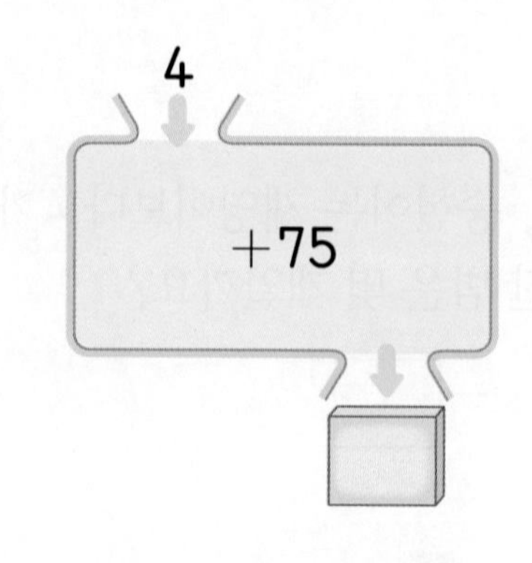

정확성 up!

빈 곳에 알맞은 수를 써넣으세요.

9

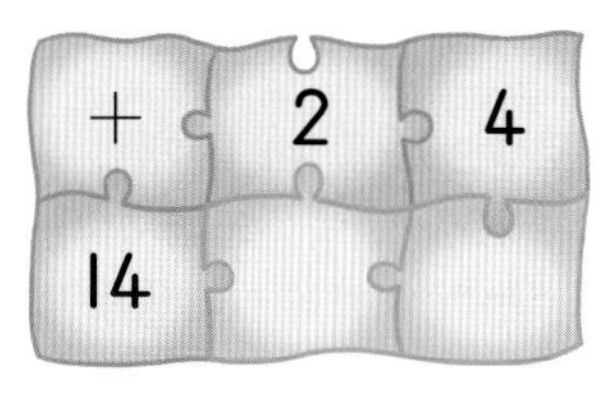

+	2	4
14		

10

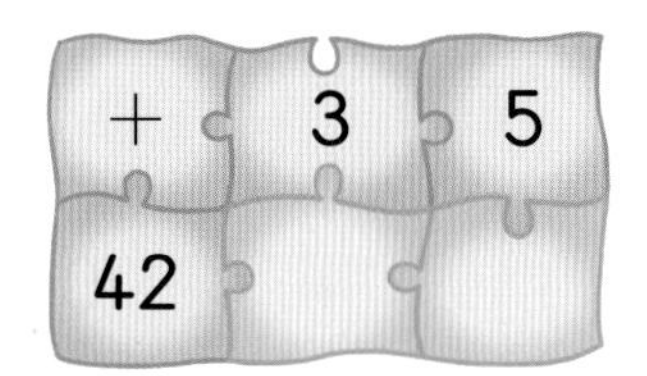

+	3	5
42		

11

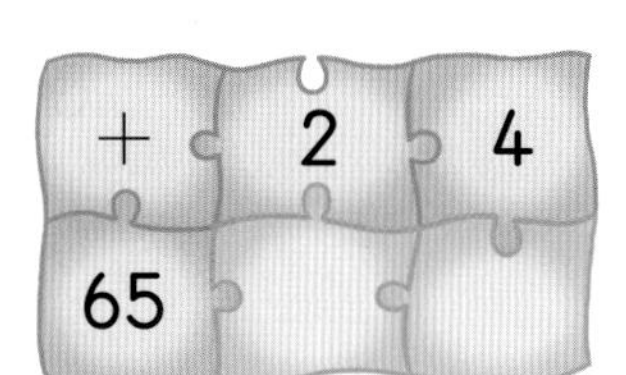

+	2	4
65		

12

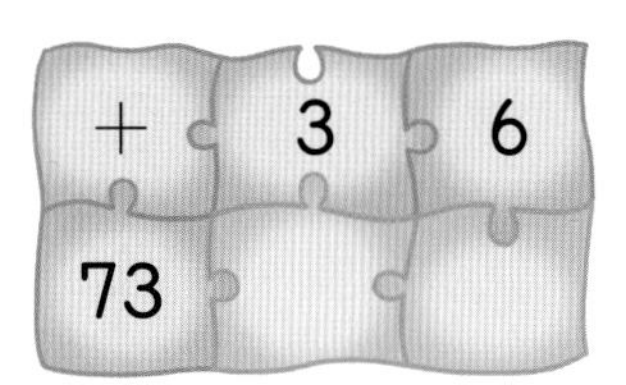

+	3	6
73		

13

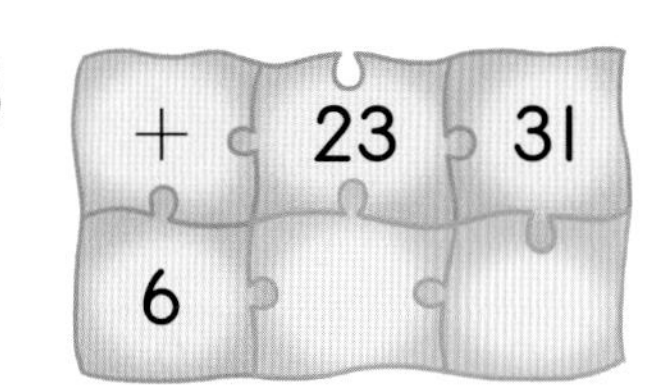

+	23	31
6		

14

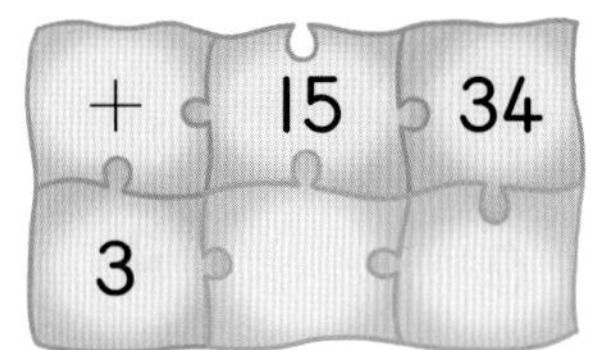
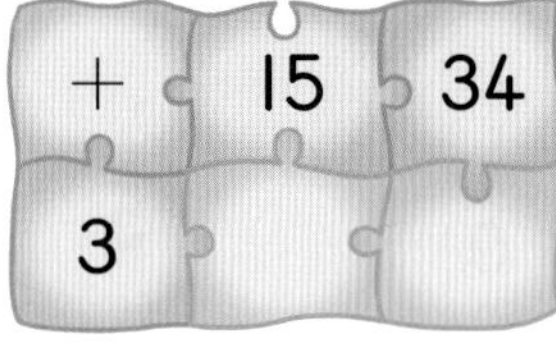

+	15	34
3		

15

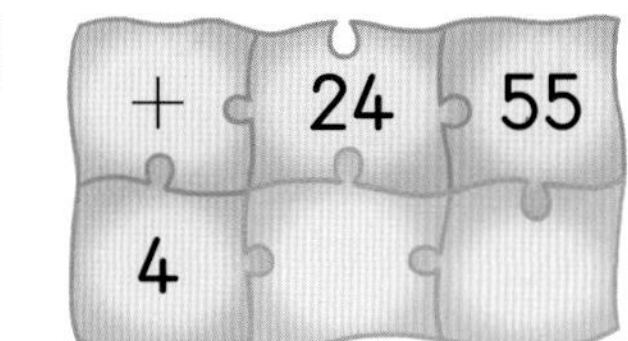

+	24	55
4		

16

+	84	96
2		

정확성 up!

원리 ③ 받아올림이 없는 (몇십)+(몇십)

원리 동영상 강의

받아올림이 없는 (몇십)+(몇십)의 계산 방법

예 20+30의 계산

10개씩 묶음의 수끼리 더합니다.

	2	0
+	3	0

➡

	2	0
+	3	0
		0

0을 그대로 씁니다.

➡

	2	0
+	3	0
	5	0

2+3=5

뿜뿜이

세로셈으로 쓸 때 10개씩 묶음의 수는 10개씩 묶음의 수끼리, 낱개의 수는 낱개의 수끼리 줄을 맞추어 써!

□ 안에 알맞은 수를 써넣으세요.

1

	1	0
+	4	0
		□

➡

	1	0
+	4	0
	□	□

2

	3	0
+	5	0
		□

➡

	3	0
+	5	0
	□	□

3

	5	0
+	1	0
		□

➡

	5	0
+	1	0
	□	□

4

	4	0
+	3	0
		□

➡

	4	0
+	3	0
	□	□

5

	4	0
+	4	0
		□

➡

	4	0
+	4	0
	□	□

6

	2	0
+	7	0
		□

➡

	2	0
+	7	0
	□	□

7

	6	0
+	2	0
		□

➡

	6	0
+	2	0
	□	□

8

	3	0
+	6	0
		□

➡

	3	0
+	6	0
	□	□

계산을 하세요.

9
$$\begin{array}{r} 70 \\ +\ 10 \\ \hline \end{array}$$

10
$$\begin{array}{r} 10 \\ +\ 60 \\ \hline \end{array}$$

11
$$\begin{array}{r} 30 \\ +\ 40 \\ \hline \end{array}$$

12
$$\begin{array}{r} 50 \\ +\ 30 \\ \hline \end{array}$$

13
$$\begin{array}{r} 80 \\ +\ 10 \\ \hline \end{array}$$

14
$$\begin{array}{r} 20 \\ +\ 50 \\ \hline \end{array}$$

15
$$\begin{array}{r} 60 \\ +\ 30 \\ \hline \end{array}$$

16
$$\begin{array}{r} 50 \\ +\ 40 \\ \hline \end{array}$$

17
$$\begin{array}{r} 30 \\ +\ 30 \\ \hline \end{array}$$

18
$$\begin{array}{r} 10 \\ +\ 70 \\ \hline \end{array}$$

19
$$\begin{array}{r} 20 \\ +\ 40 \\ \hline \end{array}$$

20
$$\begin{array}{r} 70 \\ +\ 20 \\ \hline \end{array}$$

연습 ❸ 받아올림이 없는 (몇십)+(몇십)

계산을 하세요.

1
$$\begin{array}{r} 10 \\ +\ 50 \\ \hline \end{array}$$

2
$$\begin{array}{r} 20 \\ +\ 20 \\ \hline \end{array}$$

3
$$\begin{array}{r} 30 \\ +\ 20 \\ \hline \end{array}$$

4
$$\begin{array}{r} 40 \\ +\ 50 \\ \hline \end{array}$$

5
$$\begin{array}{r} 10 \\ +\ 20 \\ \hline \end{array}$$

6
$$\begin{array}{r} 60 \\ +\ 10 \\ \hline \end{array}$$

7
$$\begin{array}{r} 40 \\ +\ 20 \\ \hline \end{array}$$

8
$$\begin{array}{r} 20 \\ +\ 50 \\ \hline \end{array}$$

9
$$\begin{array}{r} 60 \\ +\ 20 \\ \hline \end{array}$$

10
$$\begin{array}{r} 30 \\ +\ 50 \\ \hline \end{array}$$

11
$$\begin{array}{r} 50 \\ +\ 20 \\ \hline \end{array}$$

12
$$\begin{array}{r} 10 \\ +\ 80 \\ \hline \end{array}$$

13 10+10

14 10+30

15 20+10

16 20+60

17 30+10

18 30+30

19 40+10

20 40+40

21 50+30

22 50+40

23 60+30

24 70+10

25 민준이는 과자를 20개 만들고 하은이는 40개 만들었습니다. 민준이와 하은이가 만든 과자는 모두 몇 개일까요?

20+40=□

답 ____________

❸ 받아올림이 없는 (몇십)+(몇십)

∷ 빈 곳에 알맞은 수를 써넣으세요.

1

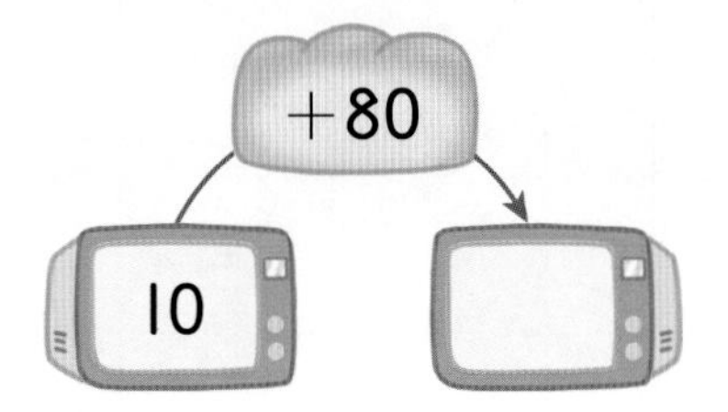

2

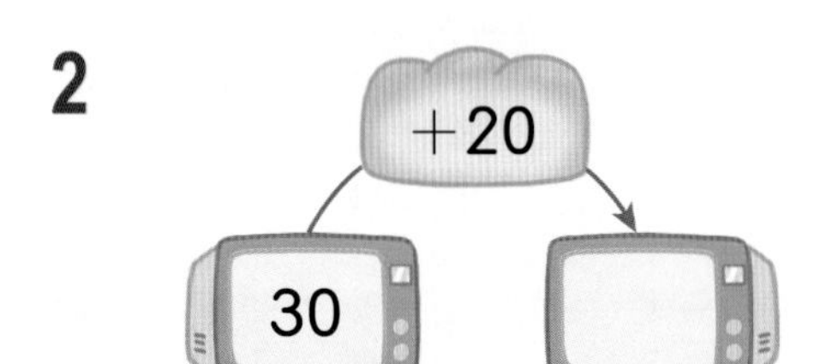

3

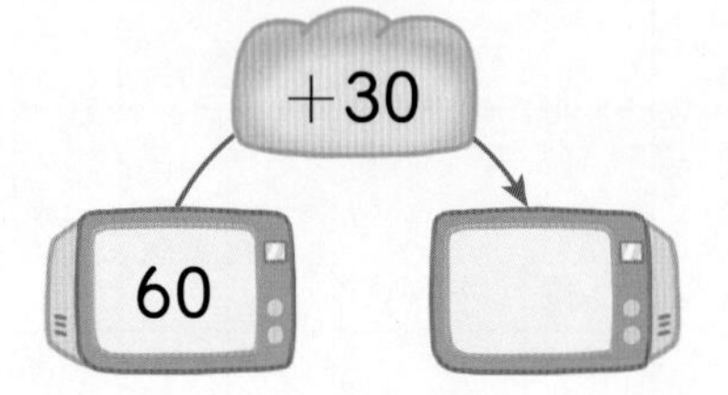

4

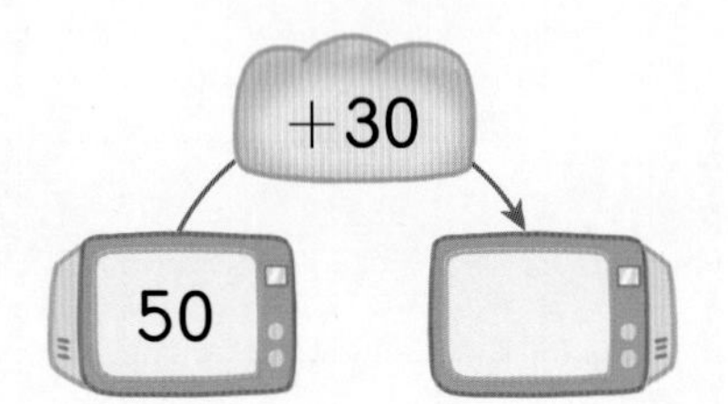

5

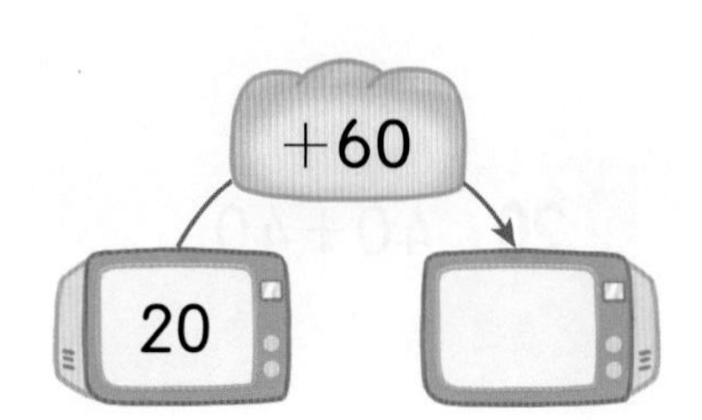

6

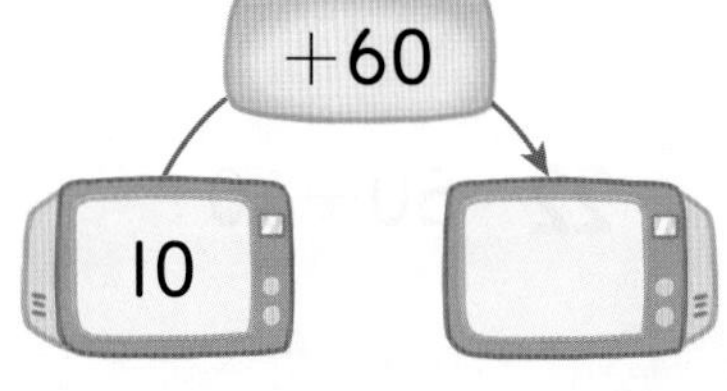
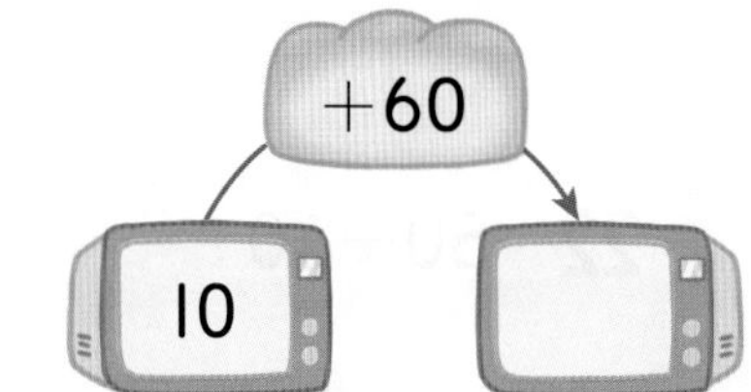

7

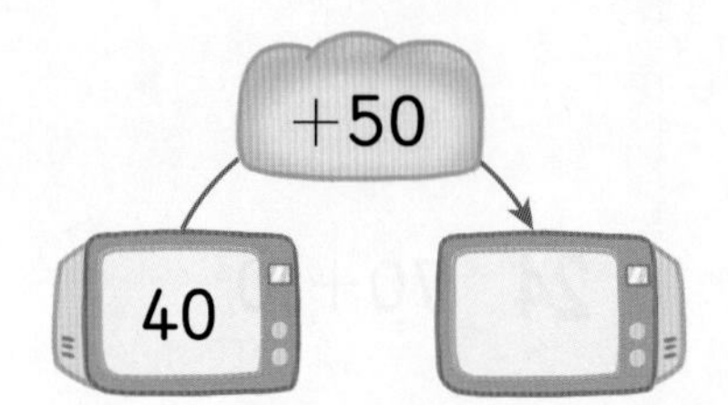

8

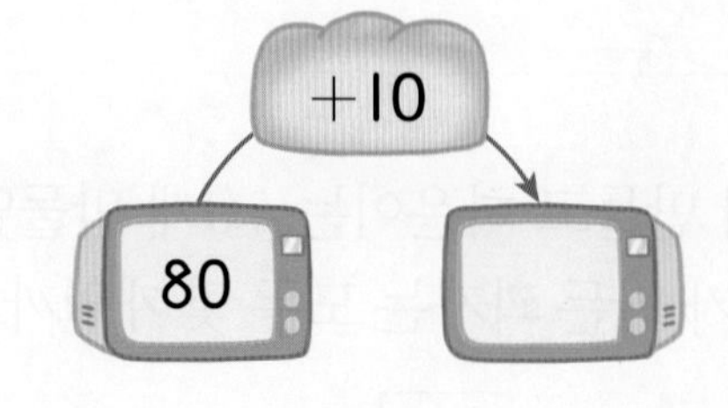

정확성 up!

정답 ➔ 8쪽

월 일	분	개
학습 날짜	학습 시간	맞힌 개수

빈칸에 알맞은 수를 써넣으세요.

9

+	10	30
10		
40		

10

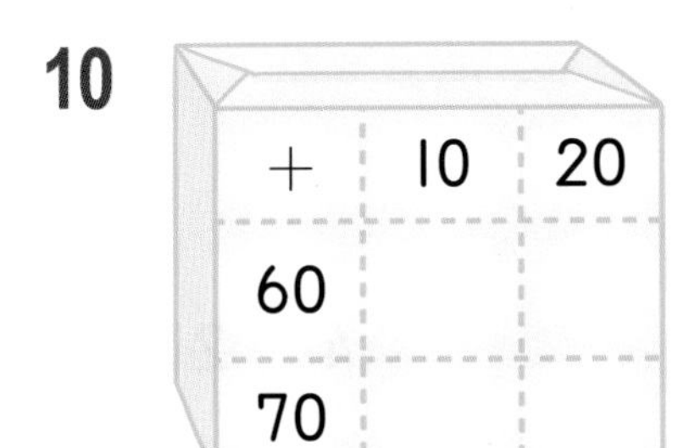

+	10	20
60		
70		

11

+	20	40
20		
40		

12

+	30	60
20		
30		

13

+	10	20
30		
50		

14

+	10	50
20		
40		

15

+	20	70
10		
20		

16

+	40	50
10		
30		

정확성 up!

원리

❹ 받아올림이 없는 (몇십몇)+(몇십몇)

받아올림이 없는 (몇십몇)+(몇십몇)의 계산 방법

예 12+23의 계산

① 낱개의 수끼리 더하여 낱개의 자리에 씁니다.

② 10개씩 묶음의 수끼리 더하여 10개씩 묶음의 자리에 씁니다.

	1	2
+	2	3

→

	1	2
+	2	3
		5

2+3=5

→

	1	2
+	2	3
	3	5

1+2=3

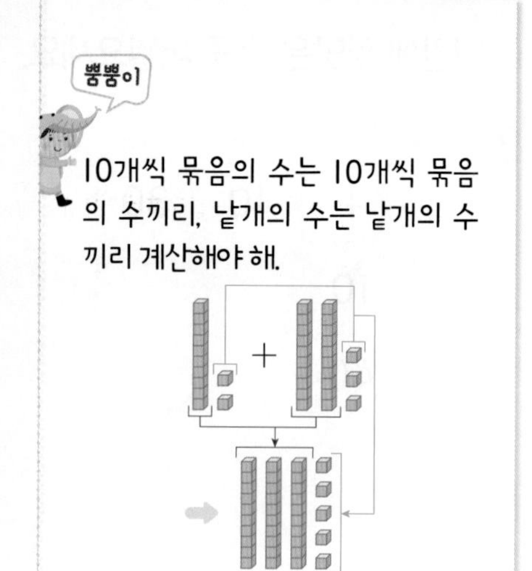

□ 안에 알맞은 수를 써넣으세요.

1

	1	1
+	3	7
		□

→

	1	1
+	3	7
	□	□

2

	2	3
+	2	5
		□

→

	2	3
+	2	5
	□	□

3

	4	1
+	1	5
		□

→

	4	1
+	1	5
	□	□

4

	3	3
+	2	6
		□

→

	3	3
+	2	6
	□	□

5

	4	2
+	1	3
		□

→

	4	2
+	1	3
	□	□

6

	7	1
+	2	4
		□

→

	7	1
+	2	4
	□	□

7

	3	5
+	5	3
		□

→

	3	5
+	5	3
	□	□

8

	6	4
+	2	5
		□

→

	6	4
+	2	5
	□	□

계산을 하세요.

9

	1	7
+	1	1

10

	4	6
+	2	2

11

	3	1
+	4	8

12

	1	4
+	4	3

13

	5	7
+	3	2

14

	3	4
+	4	1

15

	2	1
+	6	3

16

	8	2
+	1	4

17

	5	3
+	4	3

18

	6	1
+	1	7

19

	4	4
+	5	2

20

	5	1
+	3	6

연습 ④ 받아올림이 없는 (몇십몇)+(몇십몇)

계산을 하세요.

1
$$\begin{array}{r} 11 \\ +\ 11 \\ \hline \end{array}$$

2
$$\begin{array}{r} 24 \\ +\ 33 \\ \hline \end{array}$$

3
$$\begin{array}{r} 52 \\ +\ 15 \\ \hline \end{array}$$

4
$$\begin{array}{r} 16 \\ +\ 43 \\ \hline \end{array}$$

5
$$\begin{array}{r} 13 \\ +\ 84 \\ \hline \end{array}$$

6
$$\begin{array}{r} 22 \\ +\ 37 \\ \hline \end{array}$$

7
$$\begin{array}{r} 41 \\ +\ 18 \\ \hline \end{array}$$

8
$$\begin{array}{r} 32 \\ +\ 53 \\ \hline \end{array}$$

9
$$\begin{array}{r} 42 \\ +\ 43 \\ \hline \end{array}$$

10
$$\begin{array}{r} 12 \\ +\ 74 \\ \hline \end{array}$$

11
$$\begin{array}{r} 56 \\ +\ 23 \\ \hline \end{array}$$

12
$$\begin{array}{r} 31 \\ +\ 34 \\ \hline \end{array}$$

정답 → 8쪽

월 일	분	개
학습 날짜	학습 시간	맞힌 개수

13 13+15

14 16+21

15 54+14

16 21+26

17 35+33

18 44+32

19 51+46

20 48+41

21 32+62

22 24+43

23 71+14

24 12+57

정확성 up!

실력 up

25 태우는 어제 훌라후프를 33번 돌렸고, 오늘 훌라후프를 42번 돌렸습니다. 태우가 어제와 오늘 돌린 훌라후프 횟수는 모두 몇 번일까요?

33+42=□

답 ____________

적용 ❹ 받아올림이 없는 (몇십몇)+(몇십몇)

□ 안에 알맞은 수를 써넣으세요.

1 84 → +14 → □

2 16 → +72 → □

3 22 → +64 → □

4 61 → +18 → □

5 42 → +45 → □

6 73 → +23 → □

7 56 → +21 → □

8 34 → +52 → □

정확성 up!

가운데 수와 바깥의 수를 더하여 빈 곳에 써넣으세요.

9

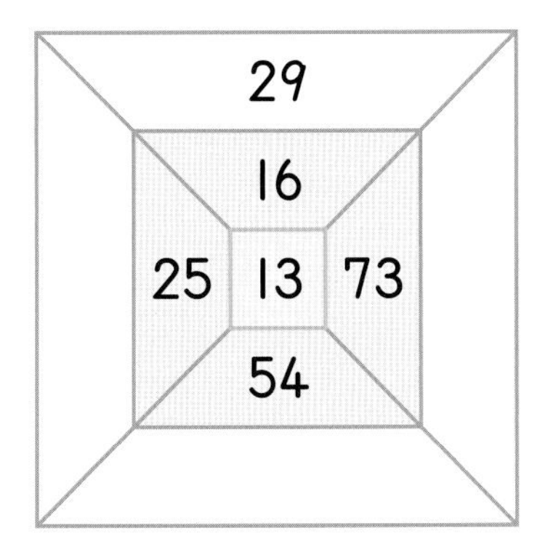

10

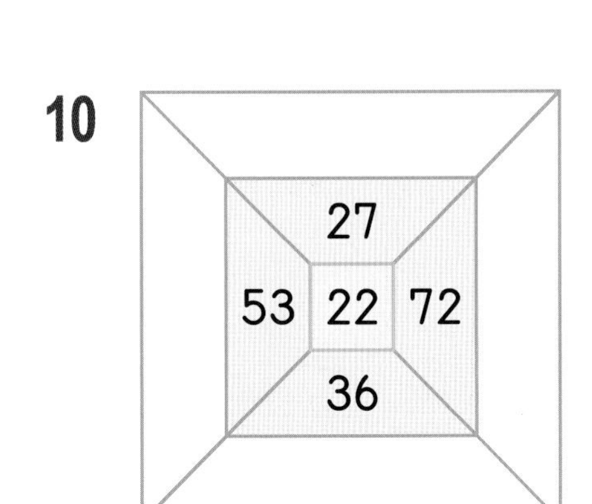

11

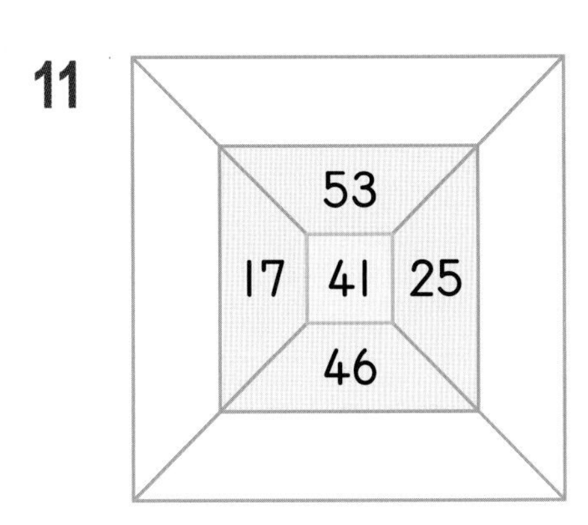

12

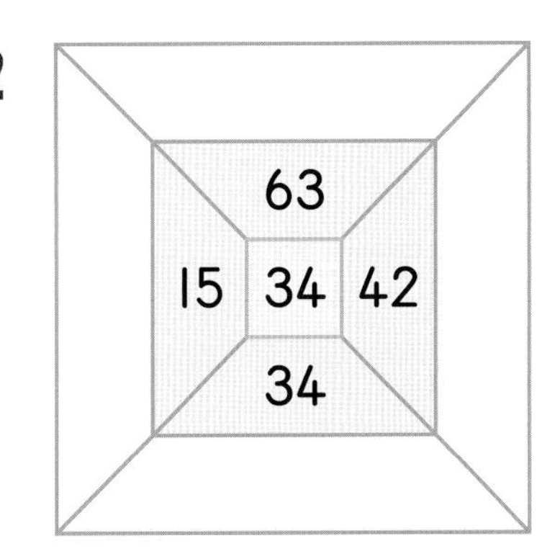

13

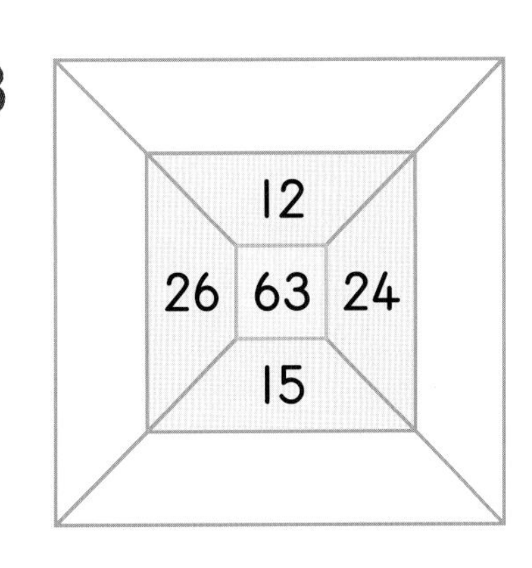

14

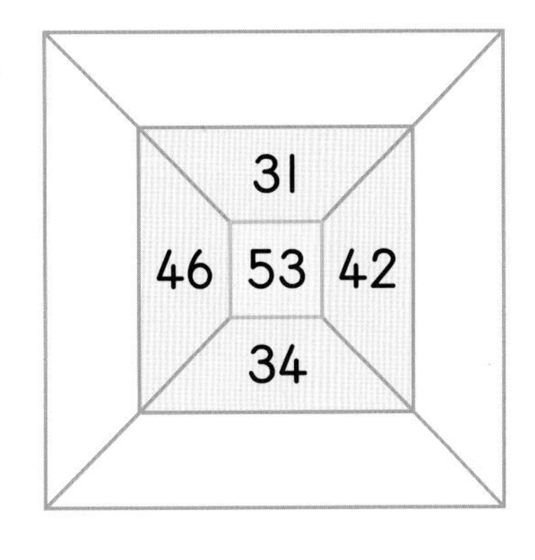

정확성 up!

⑤ 여러 가지 방법으로 덧셈하기

원리 동영상 강의

25＋32를 여러 가지 방법으로 계산하기

방법 1 20과 30을 더하고, 5와 2를 더하기

$20+30=50,\ 5+2=7$

➡ $25+32=50+7=57$

방법 2 25에 2를 더한 수에 30을 더하기

$25+32=25+2+30$
$=27+30=57$

방법 3 25에 30을 더한 수에 2를 더하기

$25+32=25+30+2$
$=55+2=57$

뿜뿜이: 자신이 편리하다고 생각하는 방법으로 계산해.

□ 안에 알맞은 수를 써넣으세요.

1 10과 40을 더하고, 6과 2를 더하기

$16+42=\square+\square=\square$

$10+40=\square,\ 6+2=\square$

2 $23+64=\square+\square=\square$

$20+60=\square,\ 3+4=\square$

3 $41+33=\square+\square=\square$

$40+30=\square,\ 1+3=\square$

4 $24+23=\square+\square=\square$

$20+20=\square,\ 4+3=\square$

5 $13+63=\square+\square=\square$

$10+60=\square,\ 3+3=\square$

6 $61+32=\square+\square=\square$

$60+30=\square,\ 1+2=\square$

7 $47+42=\square+\square=\square$

$40+40=\square,\ 7+2=\square$

8 $84+14=\square+\square=\square$

$80+10=\square,\ 4+4=\square$

월 일	분	개
학습 날짜	학습 시간	맞힌 개수

9 (21에 6을 더한 수에 40을 더하기)

$21+46=21+\square+40$

$=\square+40=\square$

10 $12+37=12+\square+30$

$=\square+30=\square$

11 $73+15=73+\square+10$

$=\square+10=\square$

12 $22+54=22+\square+50$

$=\square+50=\square$

13 $45+34=45+\square+30$

$=\square+30=\square$

14 $26+72=26+\square+70$

$=\square+70=\square$

15 (13에 40을 더한 수에 3을 더하기)

$13+43=13+\square+3$

$=\square+3=\square$

16 $24+34=24+\square+4$

$=\square+4=\square$

17 $21+17=21+\square+7$

$=\square+7=\square$

18 $12+85=12+\square+5$

$=\square+5=\square$

19 $43+46=43+\square+6$

$=\square+6=\square$

20 $65+32=65+\square+2$

$=\square+2=\square$

연습 ⑤ 여러 가지 방법으로 덧셈하기

보기 와 같은 방법으로 계산하세요.

보기

$$\begin{aligned}14+32&=10+30+4+2\\&=40+6\\&=46\end{aligned}$$

1 $16+13$

2 $43+25$

3 $11+67$

4 $24+45$

5 $32+36$

6 $41+53$

보기

$$\begin{aligned}14+32&=14+2+30\\&=16+30\\&=46\end{aligned}$$

7 $41+27$

8 $18+51$

9 $33+46$

10 $26+53$

11 $63+24$

12 $31+57$

월 일	분	개
학습 날짜	학습 시간	맞힌 개수

보기

$14+32=14+30+2$
$=44+2$
$=46$

13 $12+17$

14 $23+73$

15 $36+41$

16 $54+42$

17 $64+21$

18 $13+74$

19 $45+42$

20 $26+33$

21 $53+36$

22 $82+15$

23 $26+61$

실력 up

24 감을 재훈이는 34개, 성아는 32개 땄습니다. 재훈이와 성아가 딴 감은 모두 몇 개일까요?

$34+32=34+\square+2$
$=\square+2=\square$

적용 ❺ 여러 가지 방법으로 덧셈하기

주어진 식을 2가지 방법으로 계산하세요.

1 

방법 1

방법 2

2 

방법 1

방법 2

3 

방법 1

방법 2

4 

방법 1

방법 2

5 

방법 1

방법 2

6 

방법 1

방법 2

7 56+12

방법 2

8 35+22

방법 2

9 63+34

방법 2

10 15+62

방법 2

11 41+48

방법 2

12 21+78

방법 2

평가 2. 덧셈 (1)

계산을 하세요.

1
$$\begin{array}{r} 60 \\ +\ \ 4 \\ \hline \end{array}$$

2
$$\begin{array}{r} 20 \\ +\ \ 5 \\ \hline \end{array}$$

3
$$\begin{array}{r} 3 \\ +80 \\ \hline \end{array}$$

4
$$\begin{array}{r} 51 \\ +\ \ 8 \\ \hline \end{array}$$

5
$$\begin{array}{r} 63 \\ +\ \ 4 \\ \hline \end{array}$$

6
$$\begin{array}{r} 3 \\ +82 \\ \hline \end{array}$$

7
$$\begin{array}{r} 60 \\ +10 \\ \hline \end{array}$$

8
$$\begin{array}{r} 20 \\ +70 \\ \hline \end{array}$$

9
$$\begin{array}{r} 50 \\ +30 \\ \hline \end{array}$$

10
$$\begin{array}{r} 12 \\ +46 \\ \hline \end{array}$$

11
$$\begin{array}{r} 31 \\ +56 \\ \hline \end{array}$$

12
$$\begin{array}{r} 64 \\ +23 \\ \hline \end{array}$$

13 $90+5$

14 $9+80$

15 $23+3$

16 $4+45$

17 $40+50$

18 $15+74$

19 $43+23$

보기 와 같은 방법으로 계산하세요.

보기

$$23+25=20+20+3+5$$
$$=40+8=48$$

20 $34+64$

21 $47+12$

22 $28+51$

보기

$$13+32=13+30+2$$
$$=43+2=45$$

23 $24+52$

24 $65+14$

25 $54+43$

빈 곳에 두 수의 합을 써넣으세요.

26

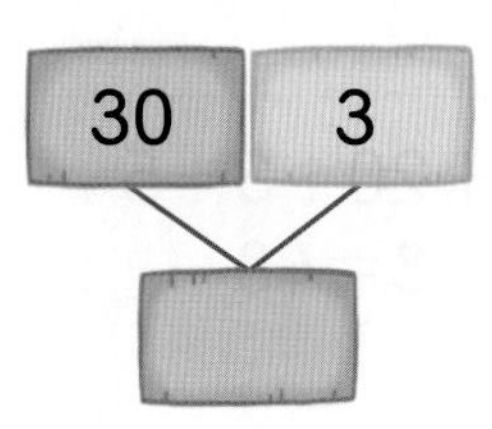

27

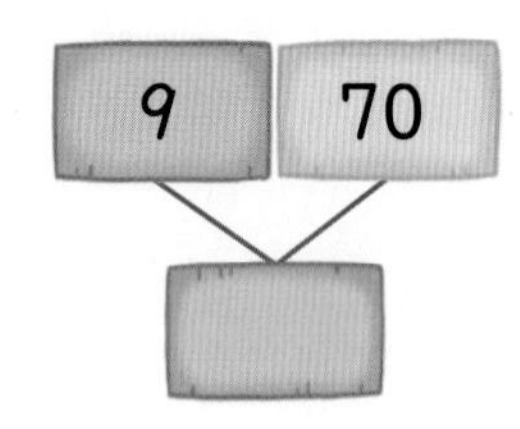

빈 곳에 알맞은 수를 써넣으세요.

28

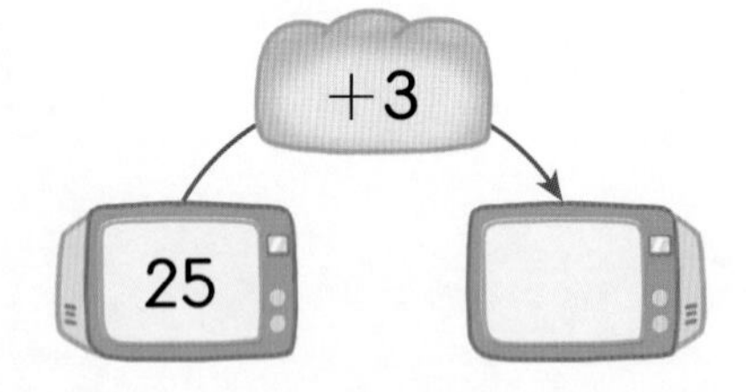

29

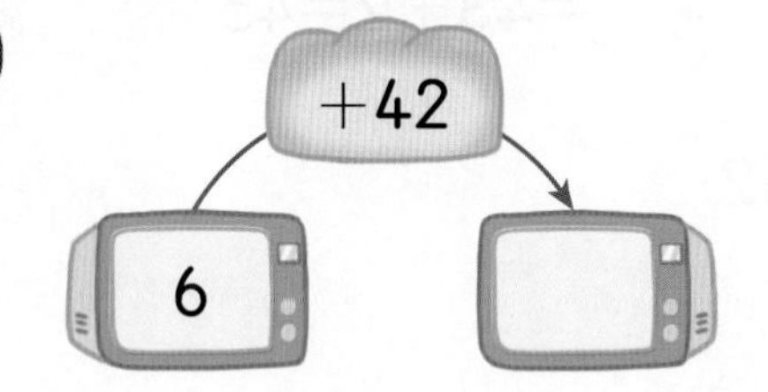

30 빈칸에 알맞은 수를 써넣으세요.

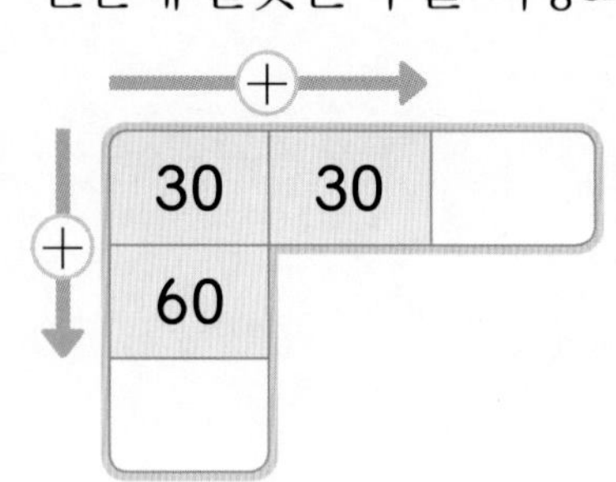

빈칸에 알맞은 수를 써넣으세요.

31

+	14	23	41
35			

32

+	16	24	37
42			

33 23+65를 2가지 방법으로 계산하세요.

34 52+44를 2가지 방법으로 계산하세요.

3 뺄셈 (1)

학습 계획표

학습 내용	원리	연습	적용
❶ 받아내림이 없는 (몇십몇)－(몇)	Day **27**	Day **28**	Day **29**
❷ (몇십)－(몇십)	Day **30**	Day **31**	Day **32**
❸ (몇십몇)－(몇십)	Day **33**	Day **34**	Day **35**
❹ 받아내림이 없는 (몇십몇)－(몇십몇)	Day **36**	Day **37**	Day **38**
❺ 여러 가지 방법으로 뺄셈하기	Day **39**	Day **40**	Day **41**
평가		Day **42**	

학습 관리 **tip** 맨 앞장의 학습 플래너를 이용하여 학습 스케줄을 관리하도록 하세요!

원리 동영상 강의

원리 ❶ 받아내림이 없는 (몇십몇)—(몇)

○ 받아내림이 없는 (몇십몇)—(몇)의 계산 방법

㉮ 57—4의 계산

① 낱개의 수끼리 빼어 낱개의 자리에 씁니다.

② 10개씩 묶음의 수는 그대로 내려 씁니다.

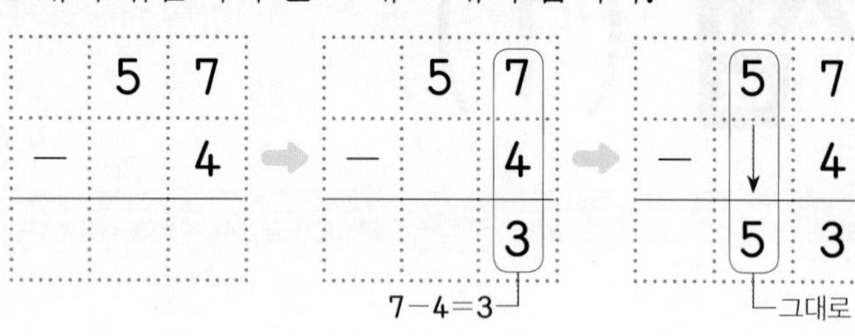

조심이

57—4를 세로셈으로 쓸 때 낱개의 수끼리 빼야 하므로 7과 4를 나란히 써야 해.

□ 안에 알맞은 수를 써넣으세요.

1 24 — 3 ➡ 24 — 3 = □□

2 38 — 5 ➡ 38 — 5 = □□

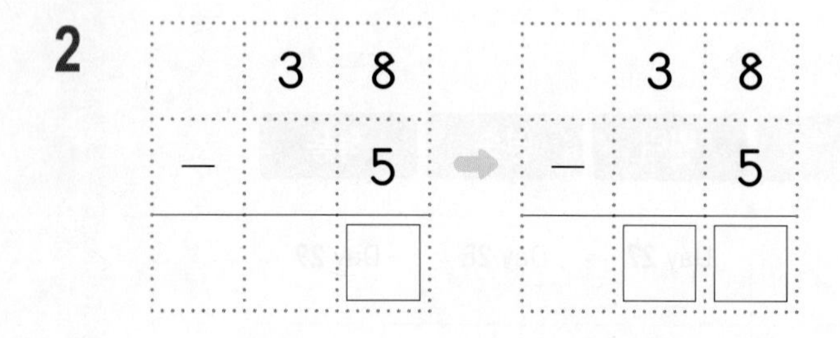

3 65 — 4 ➡ 65 — 4 = □□

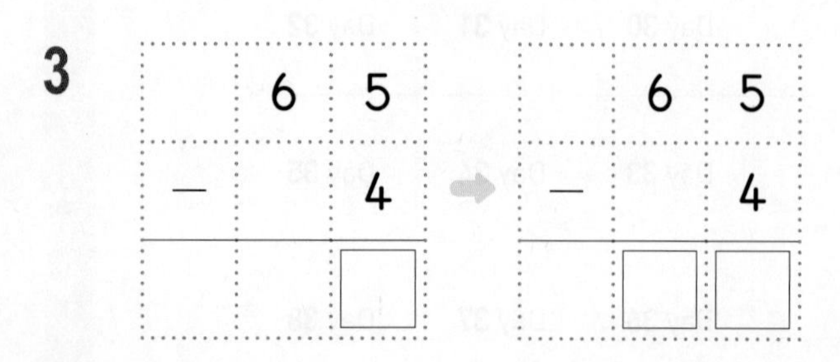

4 82 — 2 ➡ 82 — 2 = □□

5 19 — 6 ➡ 19 — 6 = □□

6 43 — 2 ➡ 43 — 2 = □□

7 77 — 6 ➡ 77 — 6 = □□

8 96 — 4 ➡ 96 — 4 = □□

계산을 하세요.

9
	1	5
−		2

10
	5	4
−		3

11
	6	9
−		7

12
	4	8
−		3

13
	3	6
−		6

14
	7	2
−		1

15
	9	5
−		3

16
	8	9
−		6

17
	7	8
−		4

18
	2	9
−		3

19
	5	6
−		5

20
	4	7
−		5

연습

❶ 받아내림이 없는 (몇십몇)－(몇)

계산을 하세요.

1
$$\begin{array}{r} 17 \\ -\ \ 6 \\ \hline \end{array}$$

2
$$\begin{array}{r} 23 \\ -\ \ 2 \\ \hline \end{array}$$

3
$$\begin{array}{r} 52 \\ -\ \ 2 \\ \hline \end{array}$$

4
$$\begin{array}{r} 37 \\ -\ \ 3 \\ \hline \end{array}$$

5
$$\begin{array}{r} 66 \\ -\ \ 3 \\ \hline \end{array}$$

6
$$\begin{array}{r} 45 \\ -\ \ 3 \\ \hline \end{array}$$

7
$$\begin{array}{r} 97 \\ -\ \ 5 \\ \hline \end{array}$$

8
$$\begin{array}{r} 76 \\ -\ \ 4 \\ \hline \end{array}$$

9
$$\begin{array}{r} 85 \\ -\ \ 3 \\ \hline \end{array}$$

10
$$\begin{array}{r} 98 \\ -\ \ 7 \\ \hline \end{array}$$

11
$$\begin{array}{r} 18 \\ -\ \ 7 \\ \hline \end{array}$$

12
$$\begin{array}{r} 39 \\ -\ \ 7 \\ \hline \end{array}$$

13 $16-1$

14 $35-4$

15 $58-5$

16 $74-3$

17 $44-2$

18 $86-5$

19 $94-2$

20 $61-1$

21 $27-4$

22 $64-3$

23 $59-8$

24 $67-7$

25 혜원이는 사과를 68개 땄고, 승하는 혜원이보다 3개 더 적게 땄습니다. 승하가 딴 사과는 몇 개일까요?

$68-3=\square$

답 ______

적용 ❶ 받아내림이 없는 (몇십몇)−(몇)

빈 곳에 알맞은 수를 써넣으세요.

1
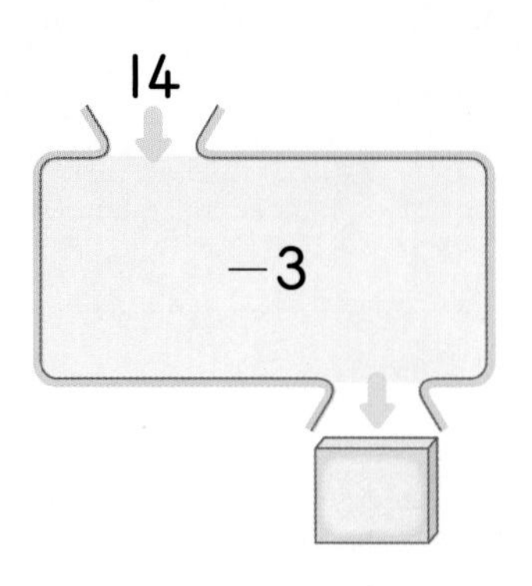

2
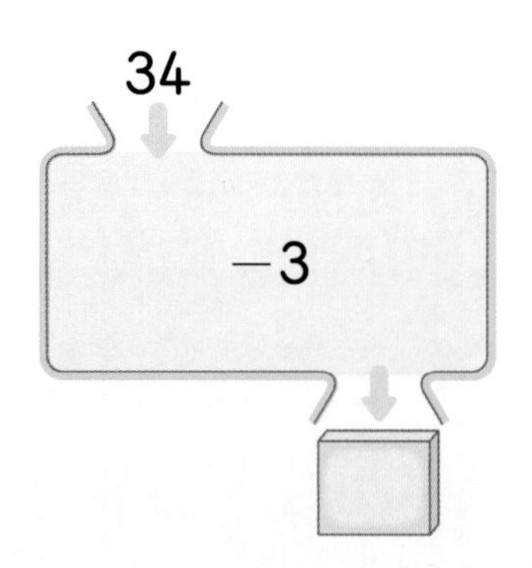

3
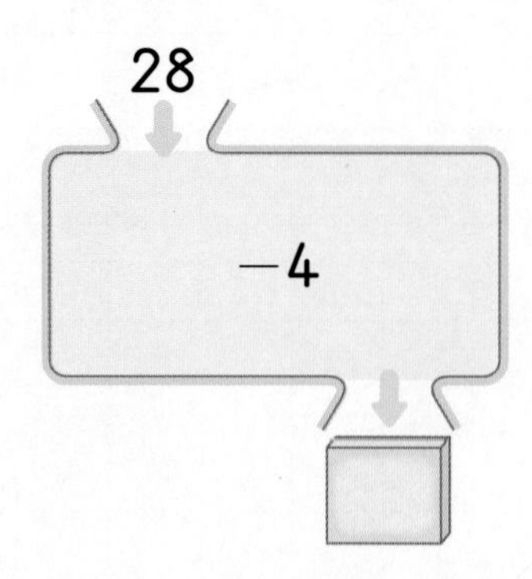

4
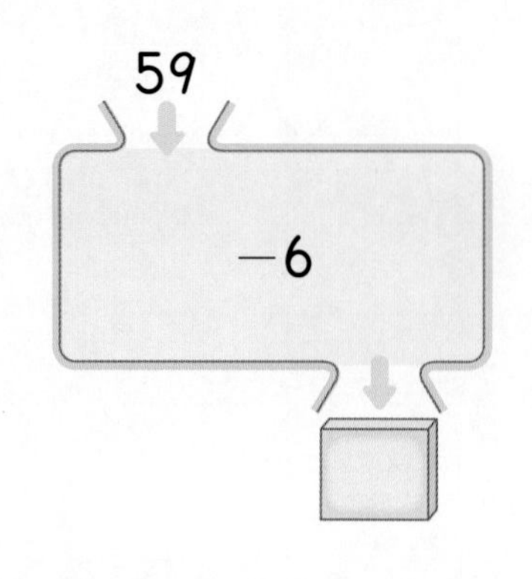

5
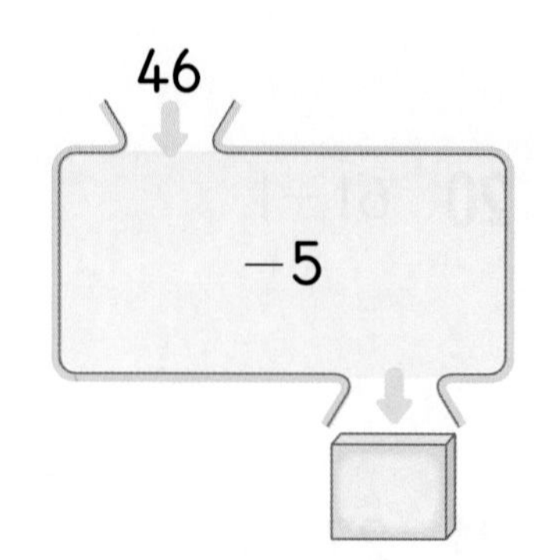

6
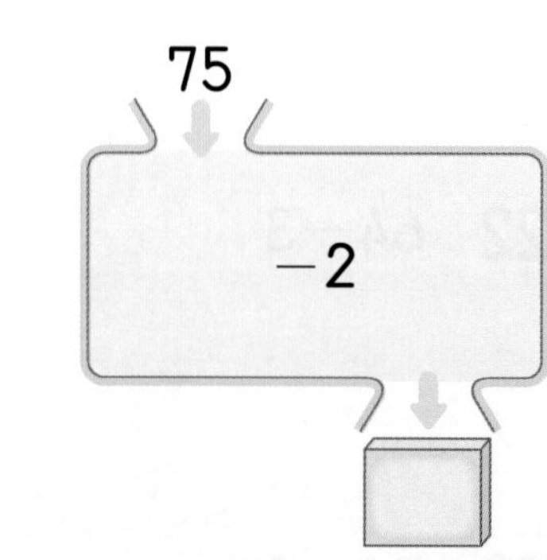

7

87

−7

8
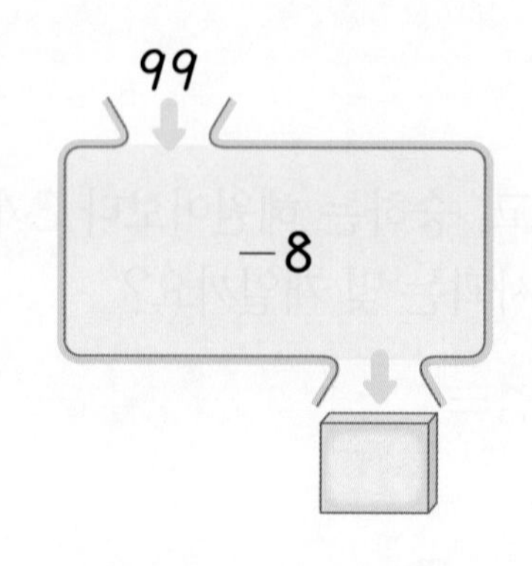

∷ 빈칸에 알맞은 수를 써넣으세요.

9

10

— 3 5 8

49

11

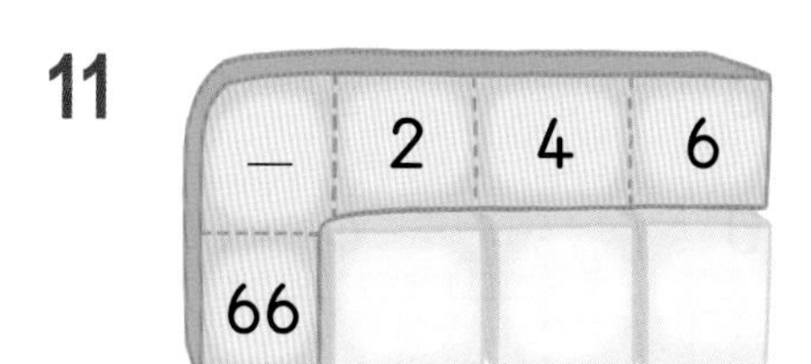

12

13

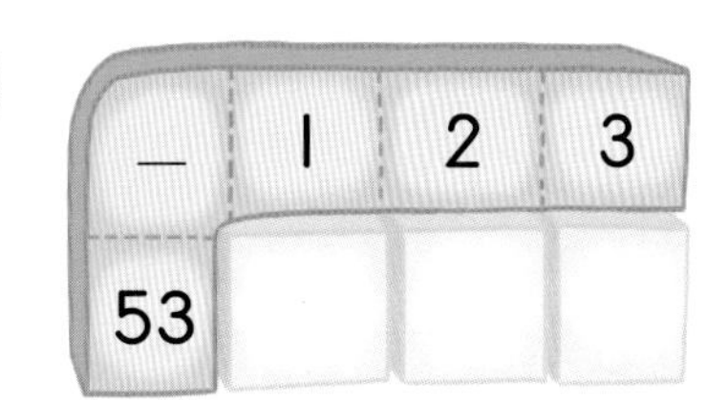

14

— 3 5 7

78

15

16

— 2 4 6

97

정확성 up!

원리

❷ (몇십)－(몇십)

○ (몇십)－(몇십)의 계산 방법

예 50－20의 계산

10개씩 묶음의 수끼리 뺍니다.

	5	0
－	2	0

➡

	5	0
－	2	0
		0

0을 그대로 씁니다.

➡

	5	0
－	2	0
	3	0

5－2＝3

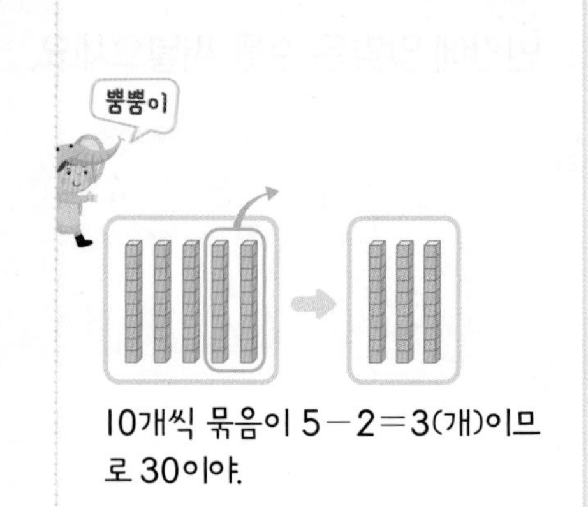

10개씩 묶음이 5－2＝3(개)이므로 30이야.

□ 안에 알맞은 수를 써넣으세요.

1 30－10 ➡ 30－10 = □□ (first step: □)

2 60－30 ➡ 60－30 = □□ (first step: □)

3 70－40 ➡ 70－40 = □□ (first step: □)

4 80－20 ➡ 80－20 = □□ (first step: □)

5 40－30 ➡ 40－30 = □□ (first step: □)

6 50－40 ➡ 50－40 = □□ (first step: □)

7 90－50 ➡ 90－50 = □□ (first step: □)

8 40－20 ➡ 40－20 = □□ (first step: □)

계산을 하세요.

9

	2	0
−	1	0

10

	7	0
−	3	0

11

	6	0
−	5	0

12

	9	0
−	2	0

13

	7	0
−	1	0

14

	8	0
−	7	0

15

	4	0
−	1	0

16

	6	0
−	4	0

17

	7	0
−	6	0

18

	8	0
−	4	0

19

	9	0
−	1	0

20

	9	0
−	7	0

연습 ❷ (몇십)−(몇십)

계산을 하세요.

1
$$\begin{array}{r} 60 \\ -\ 10 \\ \hline \end{array}$$

2
$$\begin{array}{r} 70 \\ -\ 20 \\ \hline \end{array}$$

3
$$\begin{array}{r} 80 \\ -\ 30 \\ \hline \end{array}$$

4
$$\begin{array}{r} 90 \\ -\ 60 \\ \hline \end{array}$$

5
$$\begin{array}{r} 50 \\ -\ 30 \\ \hline \end{array}$$

6
$$\begin{array}{r} 70 \\ -\ 50 \\ \hline \end{array}$$

7
$$\begin{array}{r} 90 \\ -\ 80 \\ \hline \end{array}$$

8
$$\begin{array}{r} 30 \\ -\ 20 \\ \hline \end{array}$$

9
$$\begin{array}{r} 80 \\ -\ 60 \\ \hline \end{array}$$

10
$$\begin{array}{r} 60 \\ -\ 20 \\ \hline \end{array}$$

11
$$\begin{array}{r} 80 \\ -\ 50 \\ \hline \end{array}$$

12
$$\begin{array}{r} 90 \\ -\ 40 \\ \hline \end{array}$$

월 일	분	개
학습 날짜	학습 시간	맞힌 개수

13 $30-10$

14 $40-20$

15 $40-40$

16 $50-10$

17 $60-30$

18 $60-40$

19 $70-30$

20 $70-60$

21 $80-10$

22 $80-40$

23 $90-20$

24 $90-30$

정확성 up!

25 주차장에 자동차 90대와 오토바이 70대가 있습니다. 자동차는 오토바이보다 몇 대 더 많을까요?

$90-70=\square$

❷ (몇십)－(몇십)

빈 곳에 알맞은 수를 써넣으세요.

정확성 up!

1

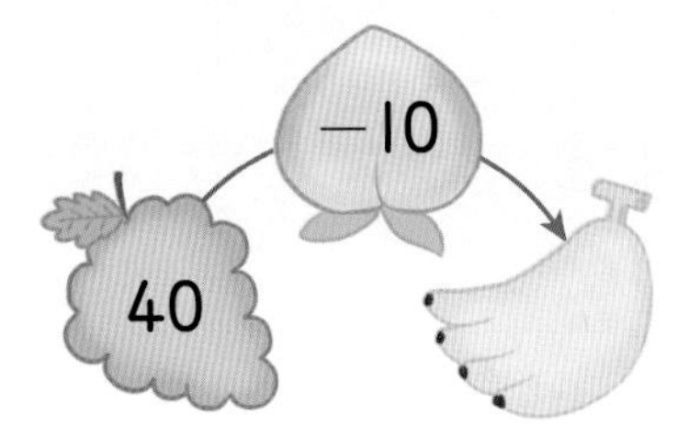

5

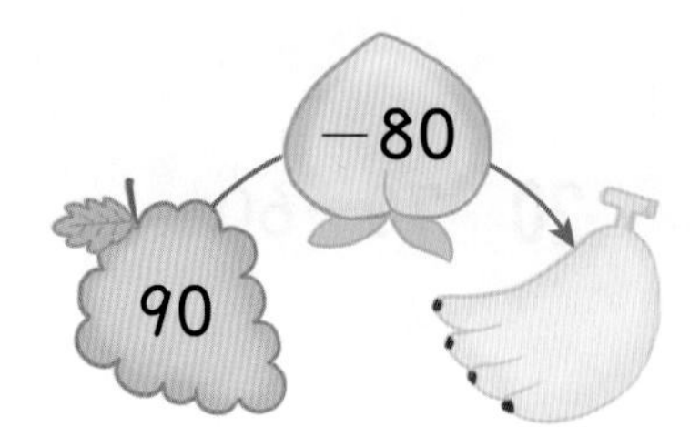

2

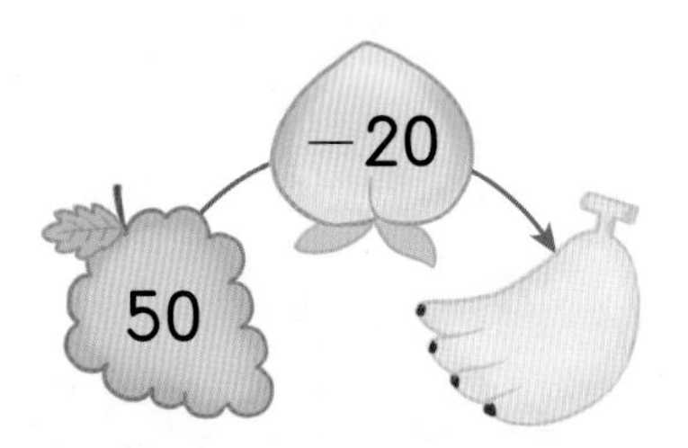

6

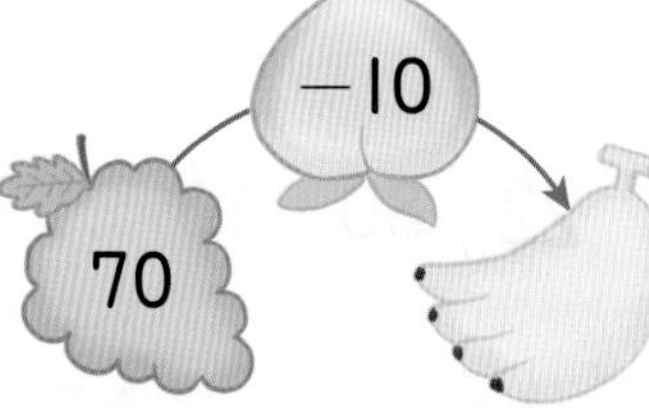

3

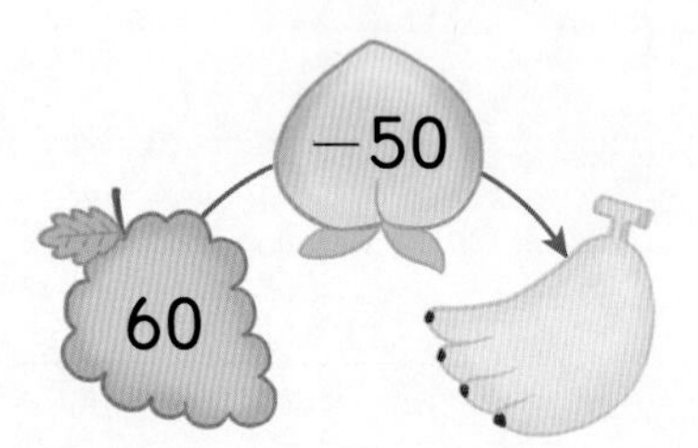

7

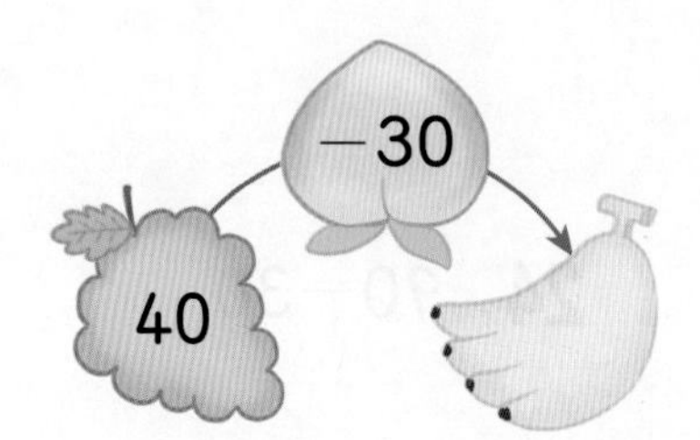

4

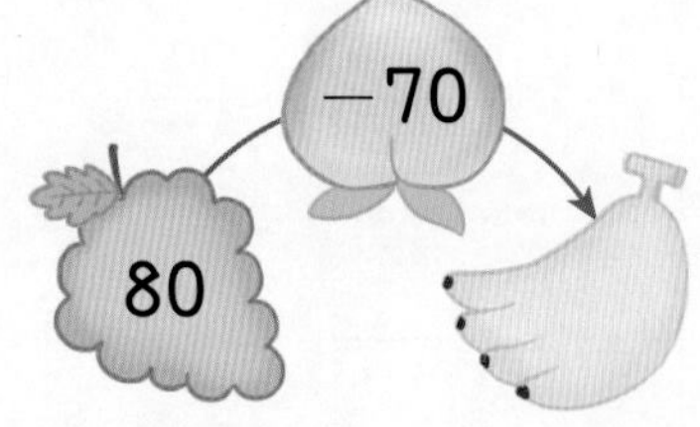

8

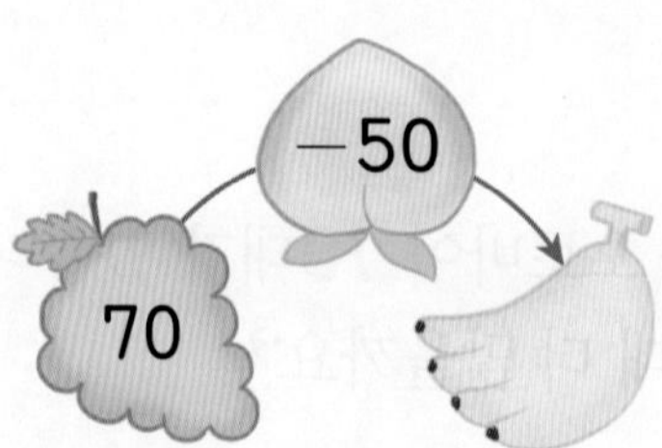

아래 ◯ 안의 두 수의 차를 위의 ◯ 안에 써넣으세요.

9

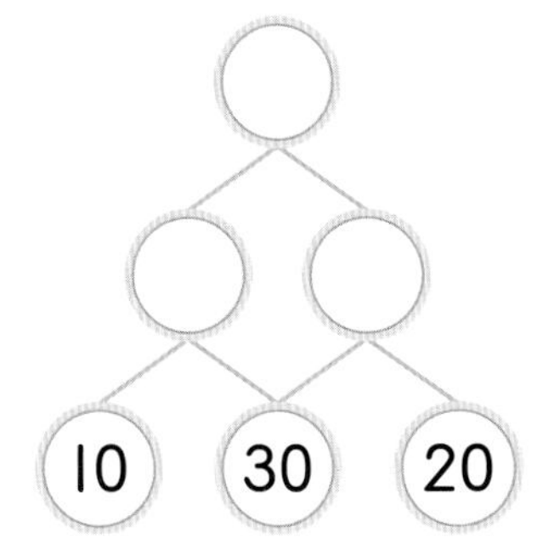

10

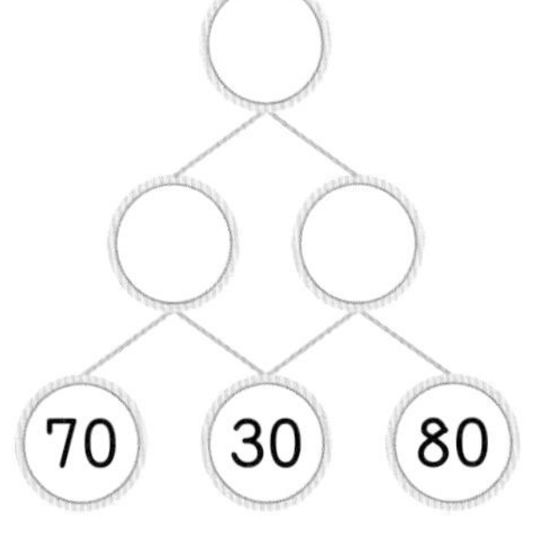

11

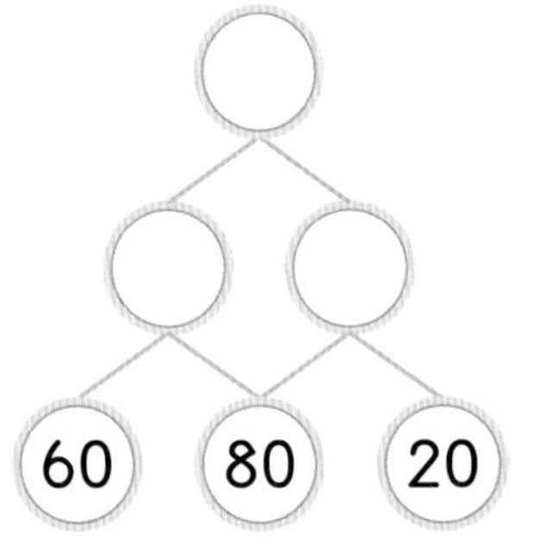

12

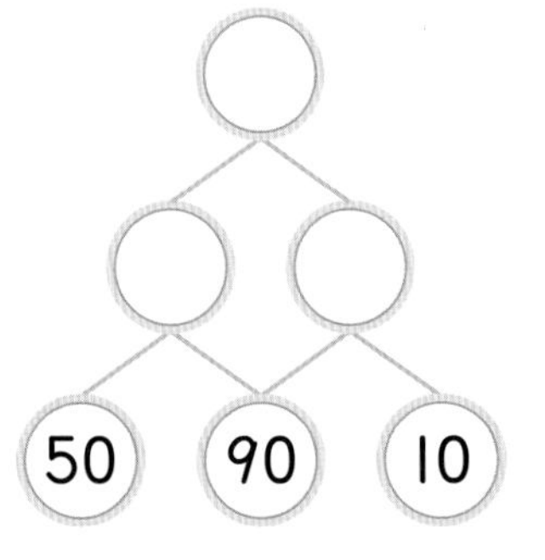

13

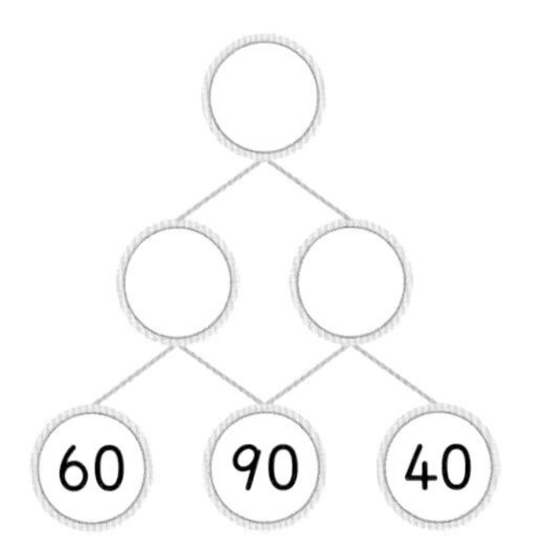

14

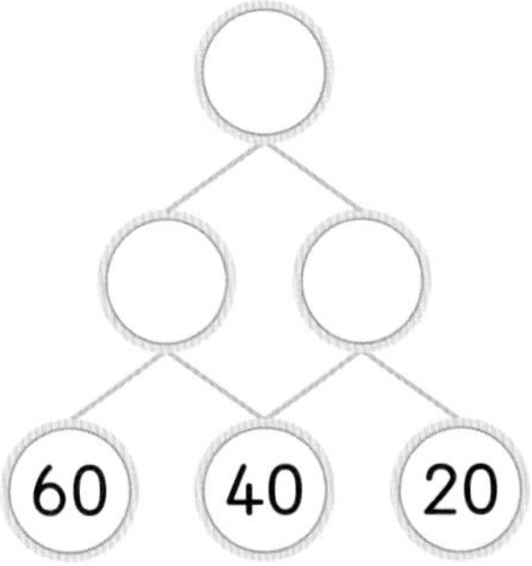

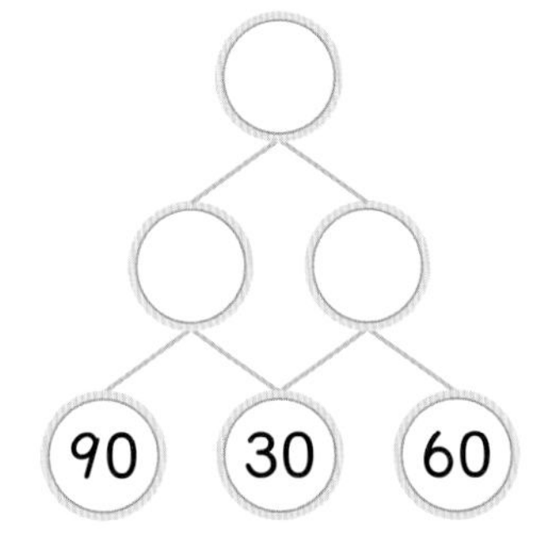

15

90 30 60

16

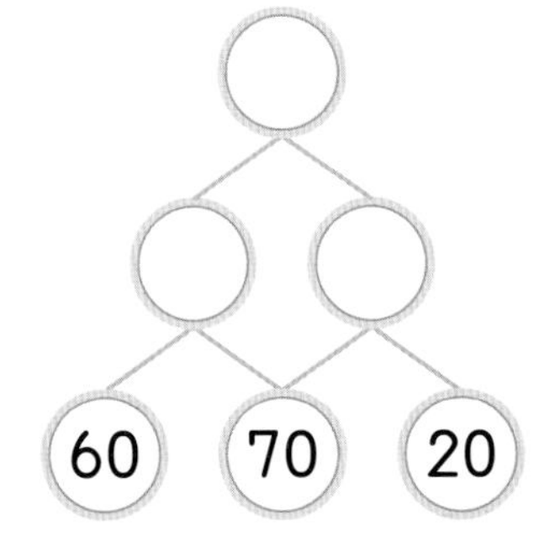

정확성 up!

원리 동영상 강의

● (몇십몇)−(몇십)의 계산 방법

예 43−20의 계산

① 빼지는 낱개의 수는 그대로 씁니다.

② 10개씩 묶음의 수끼리 빼어 10개씩 묶음의 자리에 씁니다.

	4	3
−	2	0

➡

	4	3
−	2	0
		3

3을 그대로 씁니다.

➡

	4	3
−	2	0
	2	3

4−2=2

뿜뿜이

세로셈으로 계산할 때 10개씩 묶음의 수는 10개씩 묶음의 수끼리, 낱개의 수는 낱개의 수끼리 줄을 맞추어 쓴 후 같은 자리 수끼리 계산해.

□ 안에 알맞은 수를 써넣으세요.

1

	2	7
−	1	0
		□

➡

	2	7
−	1	0
	□	□

2

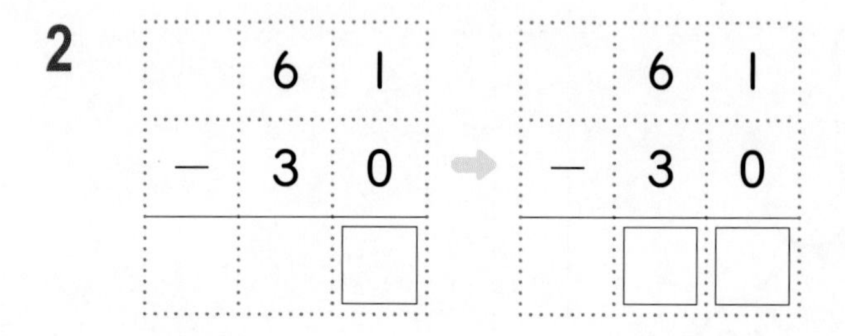

	6	1
−	3	0
		□

➡

	6	1
−	3	0
	□	□

3

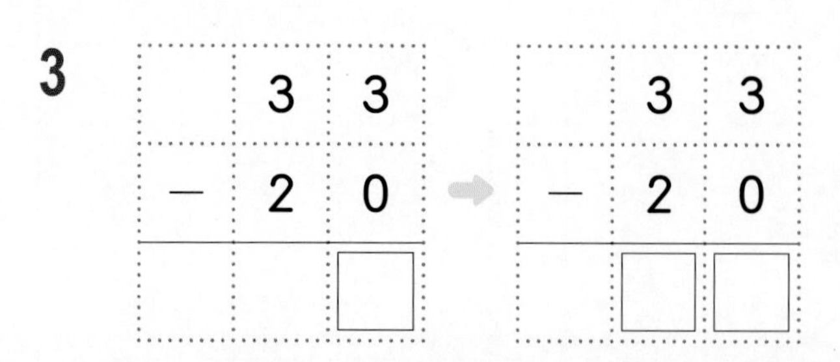

	3	3
−	2	0
		□

➡

	3	3
−	2	0
	□	□

4

	8	2
−	2	0
		□

➡

	8	2
−	2	0
	□	□

5

	5	4
−	1	0
		□

➡

	5	4
−	1	0
	□	□

6

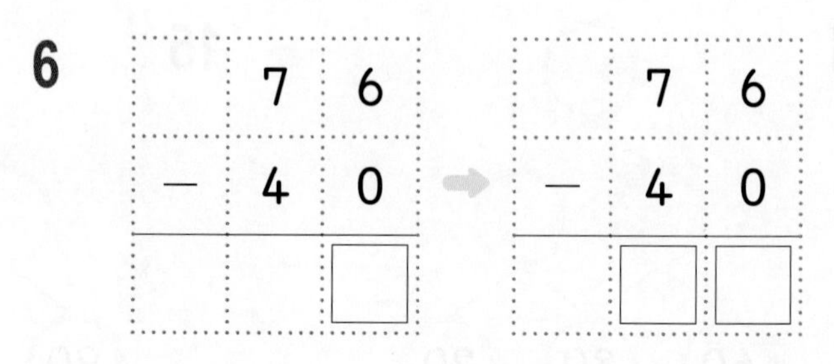

	7	6
−	4	0
		□

➡

	7	6
−	4	0
	□	□

7

	4	8
−	1	0
		□

➡

	4	8
−	1	0
	□	□

8

	9	5
−	5	0
		□

➡

	9	5
−	5	0
	□	□

계산을 하세요.

9
$$\begin{array}{r} 14 \\ -\ 10 \\ \hline \end{array}$$

10
$$\begin{array}{r} 36 \\ -\ 10 \\ \hline \end{array}$$

11
$$\begin{array}{r} 55 \\ -\ 30 \\ \hline \end{array}$$

12
$$\begin{array}{r} 72 \\ -\ 30 \\ \hline \end{array}$$

13
$$\begin{array}{r} 66 \\ -\ 50 \\ \hline \end{array}$$

14
$$\begin{array}{r} 83 \\ -\ 40 \\ \hline \end{array}$$

15
$$\begin{array}{r} 94 \\ -\ 60 \\ \hline \end{array}$$

16
$$\begin{array}{r} 87 \\ -\ 50 \\ \hline \end{array}$$

17
$$\begin{array}{r} 64 \\ -\ 40 \\ \hline \end{array}$$

18
$$\begin{array}{r} 23 \\ -\ 20 \\ \hline \end{array}$$

19
$$\begin{array}{r} 17 \\ -\ 10 \\ \hline \end{array}$$

20
$$\begin{array}{r} 92 \\ -\ 20 \\ \hline \end{array}$$

연습

③ (몇십몇)－(몇십)

계산을 하세요.

1
$$\begin{array}{r} 21 \\ -\ 10 \\ \hline \end{array}$$

2
$$\begin{array}{r} 56 \\ -\ 20 \\ \hline \end{array}$$

3
$$\begin{array}{r} 47 \\ -\ 30 \\ \hline \end{array}$$

4
$$\begin{array}{r} 62 \\ -\ 20 \\ \hline \end{array}$$

5
$$\begin{array}{r} 45 \\ -\ 40 \\ \hline \end{array}$$

6
$$\begin{array}{r} 39 \\ -\ 20 \\ \hline \end{array}$$

7
$$\begin{array}{r} 84 \\ -\ 70 \\ \hline \end{array}$$

8
$$\begin{array}{r} 75 \\ -\ 50 \\ \hline \end{array}$$

9
$$\begin{array}{r} 32 \\ -\ 10 \\ \hline \end{array}$$

10
$$\begin{array}{r} 93 \\ -\ 40 \\ \hline \end{array}$$

11
$$\begin{array}{r} 57 \\ -\ 40 \\ \hline \end{array}$$

12
$$\begin{array}{r} 74 \\ -\ 20 \\ \hline \end{array}$$

13 52－30

14 41－10

15 35－30

16 73－60

17 86－30

18 98－70

19 24－10

20 85－60

21 91－30

22 82－50

23 69－60

24 46－30

정확성 up!

실력 up

25 농장에 소는 20마리 있고 오리는 53마리 있습니다. 오리는 소보다 몇 마리 더 많을까요?

53－20＝☐

답 ________

적용 ❸ (몇십몇)−(몇십)

∷ 빈 곳에 알맞은 수를 써넣으세요.

1

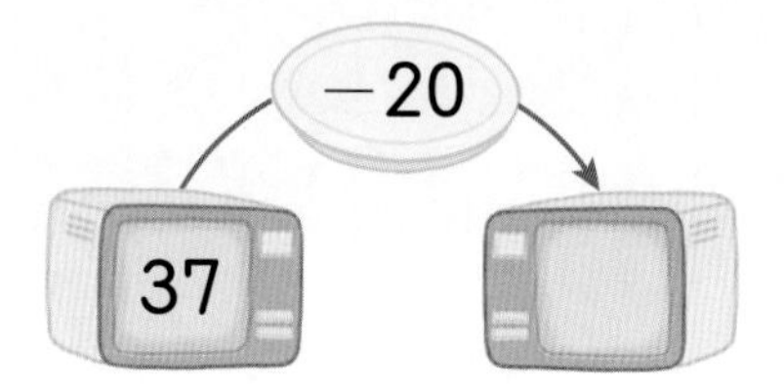

2

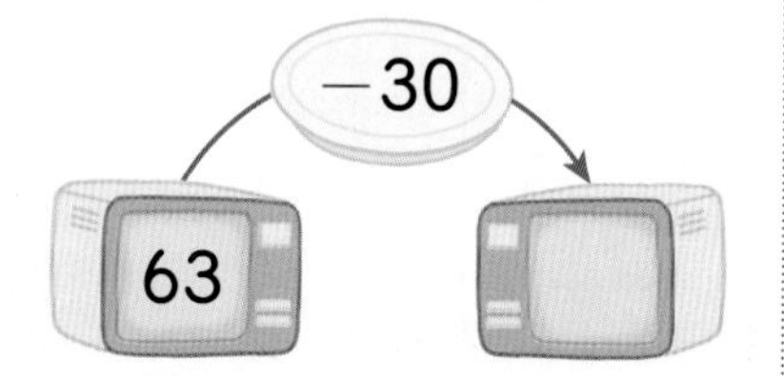

3

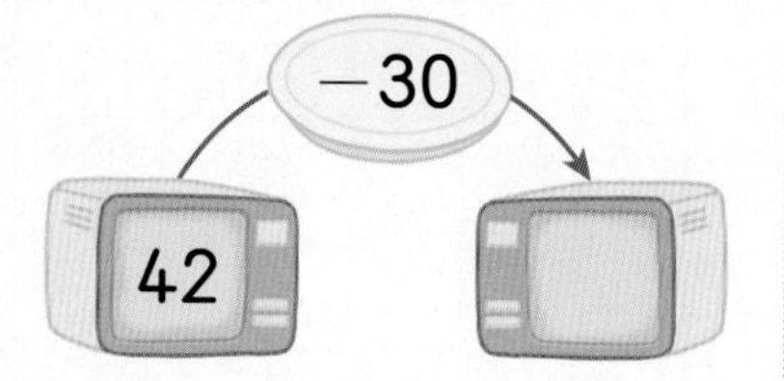

4

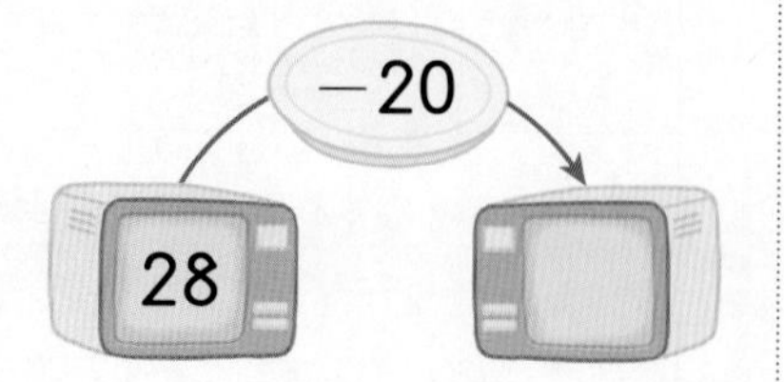

5

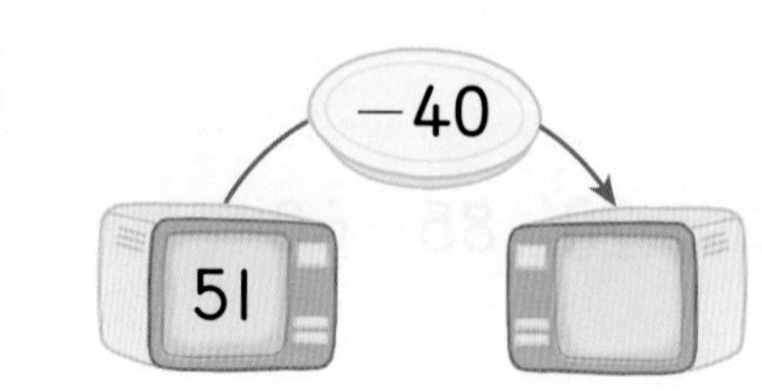

6

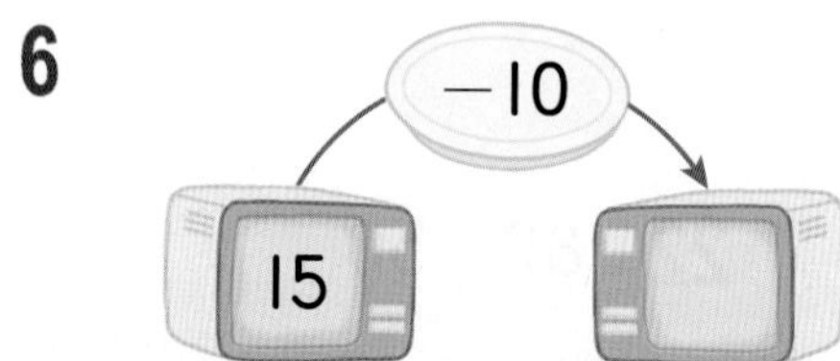

7

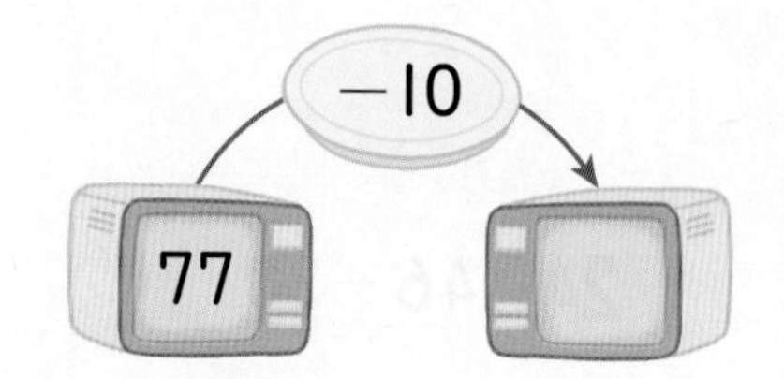

8

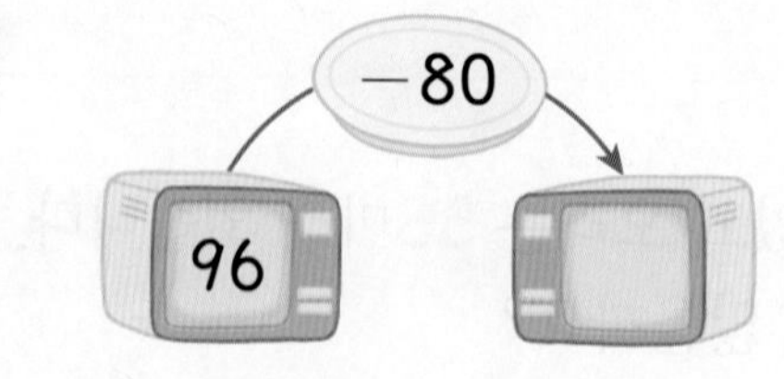

정답 ➔ 13쪽

월 일	분	개
학습 날짜	학습 시간	맞힌 개수

빈 곳에 두 수의 차를 써넣으세요.

9

10

11

12

13

14

15

16

정확성 up!

❹ 받아내림이 없는 (몇십몇)－(몇십몇)

● 받아내림이 없는 (몇십몇)－(몇십몇)의 계산 방법

㉡ 37－12의 계산

① 낱개의 수끼리 빼어 낱개의 자리에 씁니다.

② 10개씩 묶음의 수끼리 빼어 10개씩 묶음의 자리에 씁니다.

	3	7
－	1	2

➡

	3	7
－	1	2
		5

7－2＝5

➡

	3	7
－	1	2
	2	5

3－1＝2

뿜뿜이: 같은 자리의 수끼리 계산하여 자리에 맞게 쓰면 돼.

□ 안에 알맞은 수를 써넣으세요.

1

	2	3
－	1	1
		□

➡

	2	3
－	1	1
	□	□

2

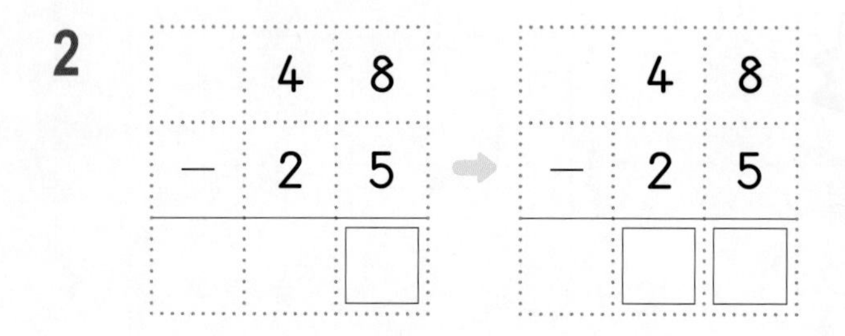

	4	8
－	2	5
		□

➡

	4	8
－	2	5
	□	□

3

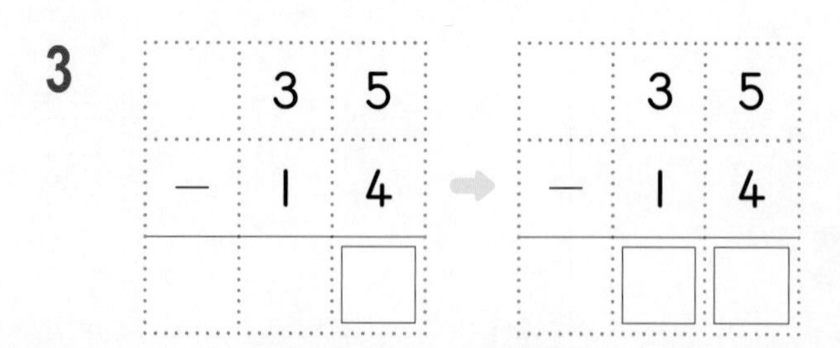

	3	5
－	1	4
		□

➡

	3	5
－	1	4
	□	□

4

	5	6
－	1	3
		□

➡

	5	6
－	1	3
	□	□

5

	6	9
－	3	2
		□

➡

	6	9
－	3	2
	□	□

6

	8	4
－	2	1
		□

➡

	8	4
－	2	1
	□	□

7

	7	3
－	1	3
		□

➡

	7	3
－	1	3
	□	□

8

	9	5
－	4	2
		□

➡

	9	5
－	4	2
	□	□

계산을 하세요.

9

	2	6
−	1	4

10

	1	7
−	1	2

11

	4	5
−	1	3

12

	6	7
−	2	6

13

	8	9
−	3	5

14

	5	3
−	2	3

15

	7	7
−	2	5

16

	9	8
−	3	4

17

	3	6
−	1	3

18

	4	9
−	4	1

19

	6	4
−	2	1

20

	8	8
−	7	3

연습

❹ 받아내림이 없는 (몇십몇)－(몇십몇)

계산을 하세요.

1
$$\begin{array}{r} 29 \\ -\ 16 \\ \hline \end{array}$$

2
$$\begin{array}{r} 34 \\ -\ 13 \\ \hline \end{array}$$

3
$$\begin{array}{r} 15 \\ -\ 11 \\ \hline \end{array}$$

4
$$\begin{array}{r} 46 \\ -\ 34 \\ \hline \end{array}$$

5
$$\begin{array}{r} 52 \\ -\ 22 \\ \hline \end{array}$$

6
$$\begin{array}{r} 78 \\ -\ 36 \\ \hline \end{array}$$

7
$$\begin{array}{r} 65 \\ -\ 52 \\ \hline \end{array}$$

8
$$\begin{array}{r} 96 \\ -\ 65 \\ \hline \end{array}$$

9
$$\begin{array}{r} 57 \\ -\ 45 \\ \hline \end{array}$$

10
$$\begin{array}{r} 28 \\ -\ 21 \\ \hline \end{array}$$

11
$$\begin{array}{r} 79 \\ -\ 48 \\ \hline \end{array}$$

12
$$\begin{array}{r} 97 \\ -\ 57 \\ \hline \end{array}$$

월 일	분	개
학습 날짜	학습 시간	맞힌 개수

13 19 − 13

14 38 − 27

15 43 − 12

16 58 − 16

17 87 − 46

18 93 − 21

19 59 − 34

20 63 − 13

21 66 − 34

22 76 − 24

23 85 − 52

24 99 − 76

정확성 up!

25 연날리기를 하고 있습니다. 방패연은 75개, 꼬리연은 51개 있습니다. 방패연은 꼬리연보다 몇 개 더 많을까요?

75 − 51 = □

답 ____________

적용 ❹ 받아내림이 없는 (몇십몇)−(몇십몇)

빈칸에 알맞은 수를 써넣으세요.

1

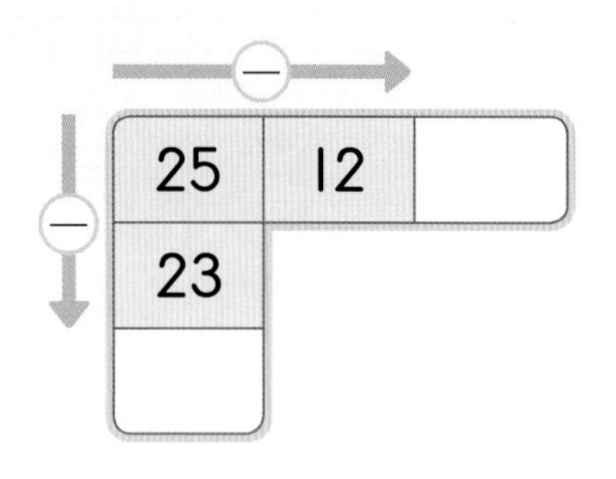

2

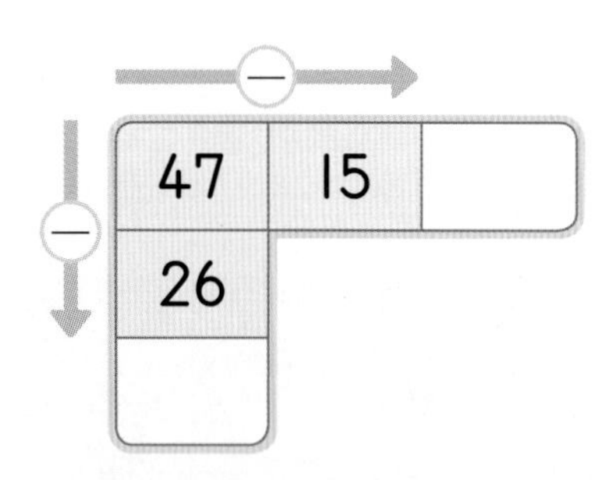

3

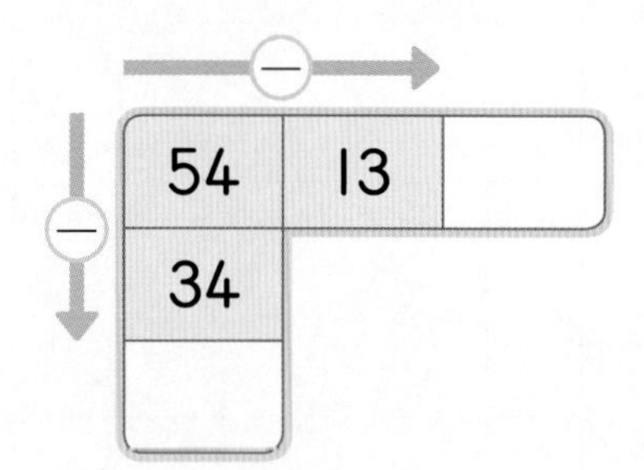

4

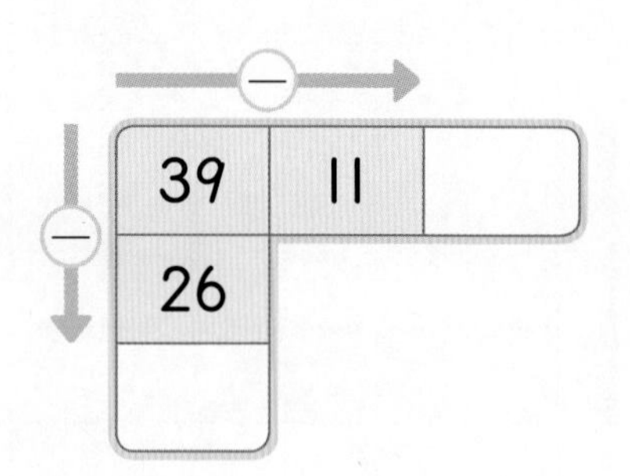

5

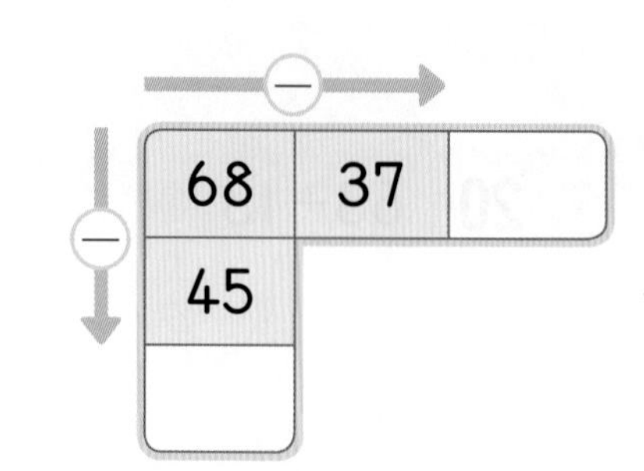

6

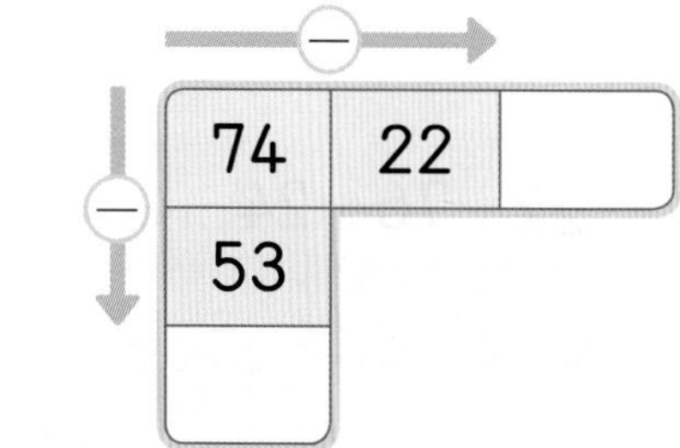
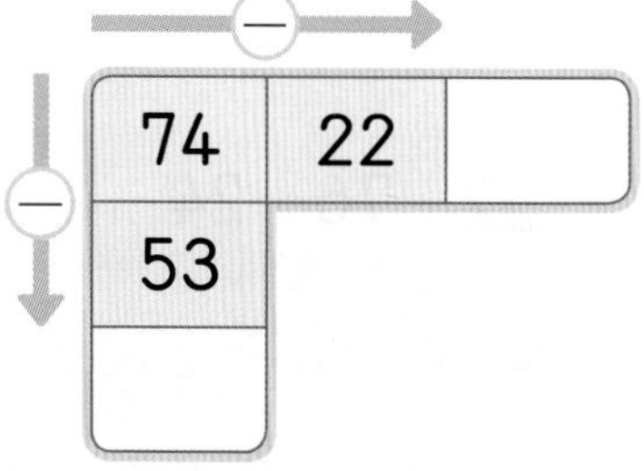

7

86 35

81

8

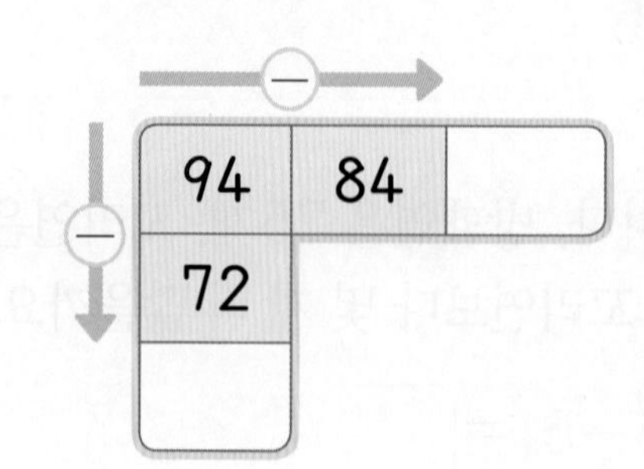

정확성 up!

위의 두 수의 차를 아래의 빈 곳에 써넣으세요.

9

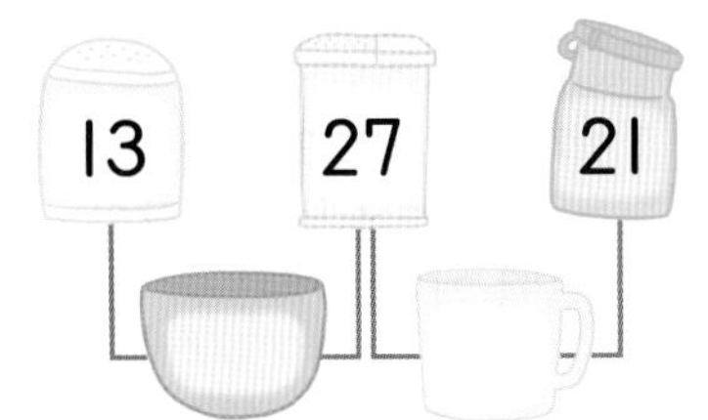

10

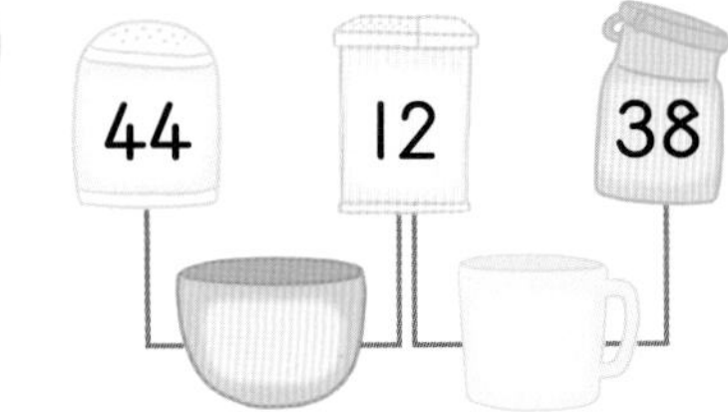

11

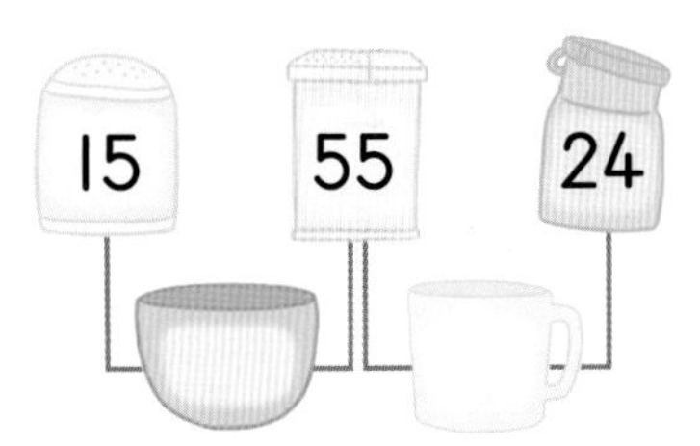

12

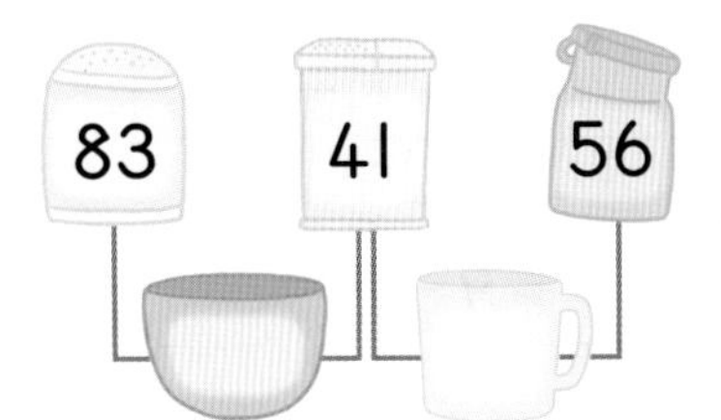

13

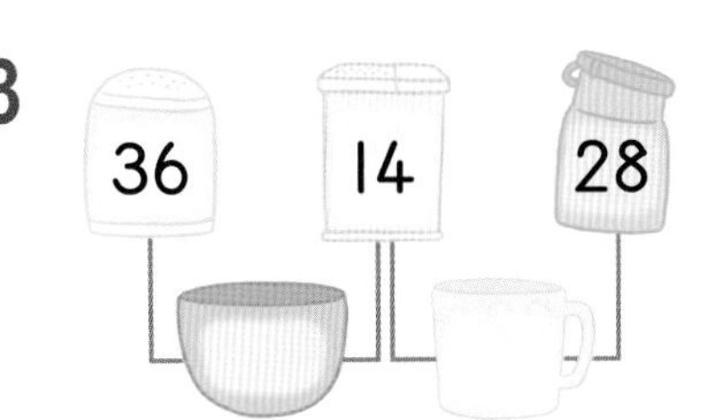

14

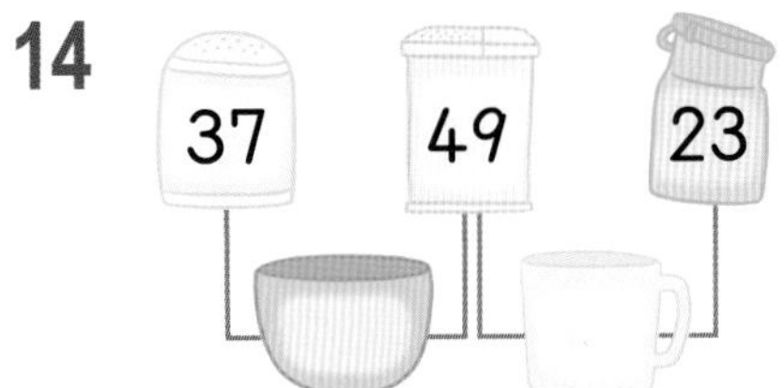
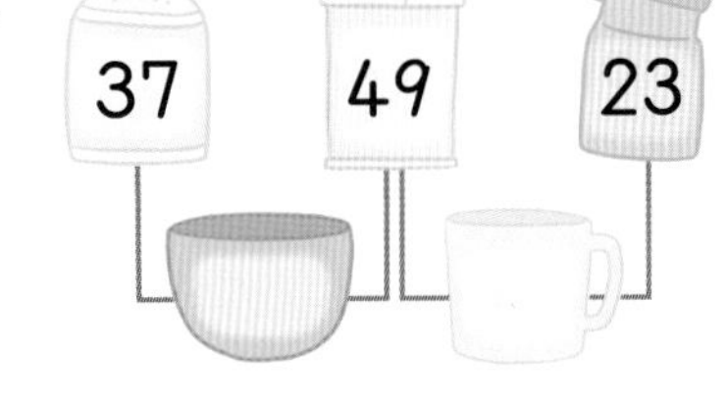

15

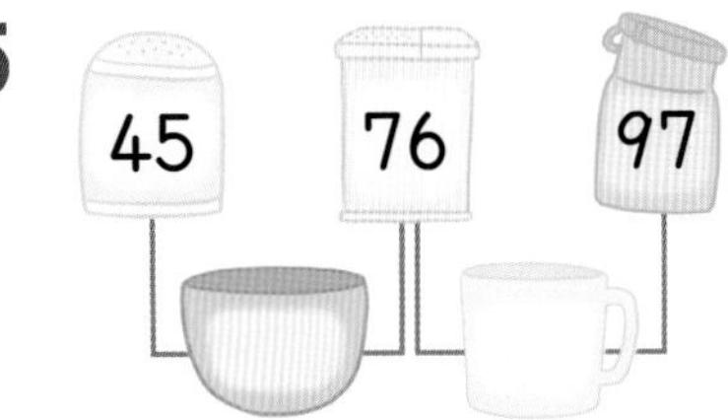

16

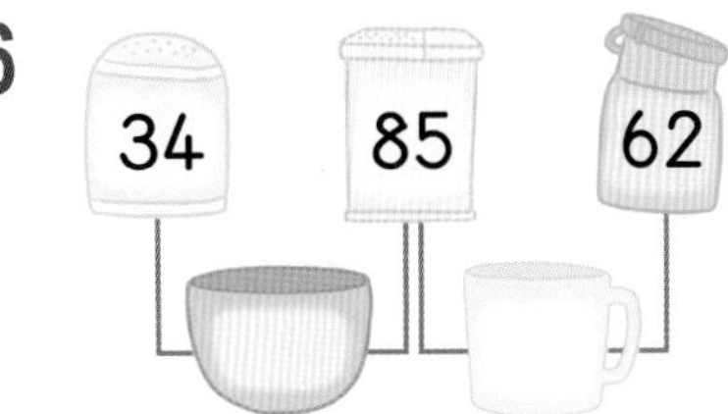

정확성 up!

원리 ⑤ 여러 가지 방법으로 뺄셈하기

37−15를 여러 가지 방법으로 계산하기

방법 1 30에서 10을 빼고, 7에서 5를 뺀 후 두 계산 결과를 더하기

30−10=20, 7−5=2

➡ 37−15=20+2=22

방법 2 37에서 5를 빼고 10을 빼기

37−15=37−5−10

=32−10=22

방법 3 37에서 10을 빼고 5를 빼기

37−15=37−10−5

=27−5=22

뿡뿡이

여러 가지 방법으로 계산하는 활동을 통해 계산 능력과 창의 · 융합 능력을 기를 수 있어.

□ 안에 알맞은 수를 써넣으세요.

1 28−13=□+□=□ (20에서 10을 빼고 8에서 3을 빼기)

20−10=□, 8−3=□

2 54−21=□+□=□

50−20=□, 4−1=□

3 65−44=□+□=□

60−40=□, 5−4=□

4 96−35=□+□=□

90−30=□, 6−5=□

5 33−12=□+□=□

30−10=□, 3−2=□

6 48−23=□+□=□

40−20=□, 8−3=□

7 79−38=□+□=□

70−30=□, 9−8=□

8 87−45=□+□=□

80−40=□, 7−5=□

9 (43에서 1을 빼고 20을 빼기) $43-21=43-\square-20$
$=\square-20=\square$

10 $27-16=27-\square-10$
$=\square-10=\square$

11 $57-34=57-\square-30$
$=\square-30=\square$

12 $68-53=68-\square-50$
$=\square-50=\square$

13 $36-23=36-\square-20$
$=\square-20=\square$

14 $72-52=72-\square-50$
$=\square-50=\square$

15 (26에서 20을 빼고 4를 빼기) $26-24=26-\square-4$
$=\square-4=\square$

16 $47-33=47-\square-3$
$=\square-3=\square$

17 $59-18=59-\square-8$
$=\square-8=\square$

18 $67-35=67-\square-5$
$=\square-5=\square$

19 $76-26=76-\square-6$
$=\square-6=\square$

20 $98-57=98-\square-7$
$=\square-7=\square$

연습

⑤ 여러 가지 방법으로 뺄셈하기

보기 와 같은 방법으로 계산하세요.

보기

30－20＝10 ← , → 8－4＝4

38－24＝10＋4
＝14

보기

38－24＝38－4－20
＝34－20
＝14

1 29－15

2 45－23

3 53－12

4 74－32

5 86－54

6 97－46

7 19－12

8 24－13

9 46－32

10 69－64

11 78－47

12 89－68

보기

$$38-24=38-20-4$$
$$=18-4$$
$$=14$$

13 $48-17$

14 $56-43$

15 $39-19$

16 $64-24$

17 $88-37$

18 $99-26$

19 $75-12$

20 $58-56$

21 $49-28$

22 $77-53$

23 $95-14$

실력 up

24 문구점에 지우개는 84개, 자는 72개 있습니다. 지우개는 자보다 몇 개 더 많을까요?

$84-72=84-\square-2$

$=\square-2=\square$

답 ______

적용

⑤ 여러 가지 방법으로 뺄셈하기

주어진 식을 2가지 방법으로 계산하세요.

1 $55-34$

방법 1

방법 2

2 $69-48$

방법 1

방법 2

3 $73-41$

방법 1

방법 2

4 $46-23$

방법 1

방법 2

5 $85-35$

방법 1

방법 2

6 $93-62$

방법 1

방법 2

월 일	분	개
학습 날짜	학습 시간	맞힌 개수

7 $44-23$

방법 1

방법 2

8 $63-51$

방법 1

방법 2

9 $86-26$

방법 1

방법 2

10 $59-27$

방법 1

방법 2

11 $78-35$

방법 1

방법 2

12 $97-34$

방법 1

방법 2

계산을 하세요.

1
$$\begin{array}{r} 25 \\ -\ \ 4 \\ \hline \end{array}$$

2
$$\begin{array}{r} 57 \\ -\ \ 3 \\ \hline \end{array}$$

3
$$\begin{array}{r} 79 \\ -\ \ 7 \\ \hline \end{array}$$

4
$$\begin{array}{r} 50 \\ -40 \\ \hline \end{array}$$

5
$$\begin{array}{r} 60 \\ -10 \\ \hline \end{array}$$

6
$$\begin{array}{r} 80 \\ -50 \\ \hline \end{array}$$

7
$$\begin{array}{r} 34 \\ -20 \\ \hline \end{array}$$

8
$$\begin{array}{r} 49 \\ -30 \\ \hline \end{array}$$

9
$$\begin{array}{r} 65 \\ -10 \\ \hline \end{array}$$

10
$$\begin{array}{r} 16 \\ -14 \\ \hline \end{array}$$

11
$$\begin{array}{r} 48 \\ -32 \\ \hline \end{array}$$

12
$$\begin{array}{r} 62 \\ -32 \\ \hline \end{array}$$

13 $68-4$

14 $87-6$

15 $90-70$

16 $59-40$

17 $68-20$

18 $37-24$

19 $96-43$

보기 와 같은 방법으로 계산하세요.

보기

40에서 10을 빼고 7에서 3을 빼기

$47-13=30+4$

$=34$

20 $57-26$

21 $88-43$

22 $79-57$

보기

$47-13=47-10-3$

$=37-3$

$=34$

23 $76-15$

24 $98-28$

25 $65-33$

정답 ➔ 17쪽

빈칸에 알맞은 수를 써넣으세요.

26

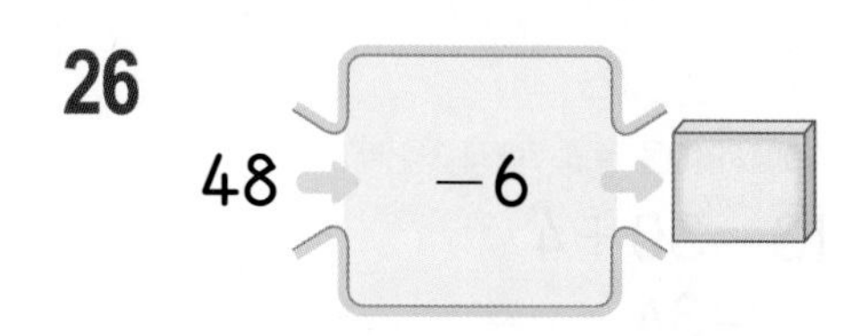

27

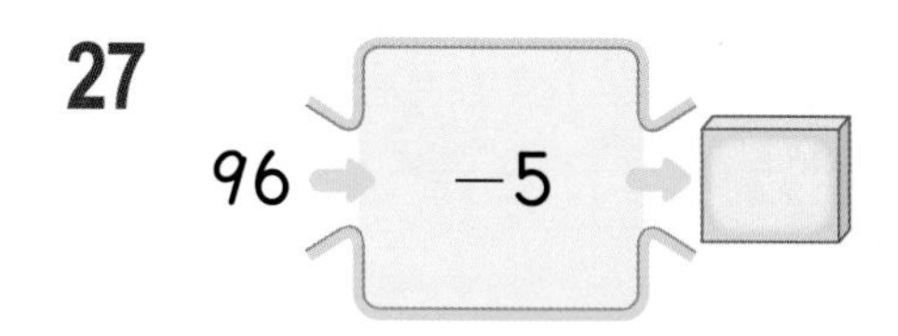

위 ▭ 안의 두 수의 차를 아래의 ▭ 안에 써넣으세요.

28

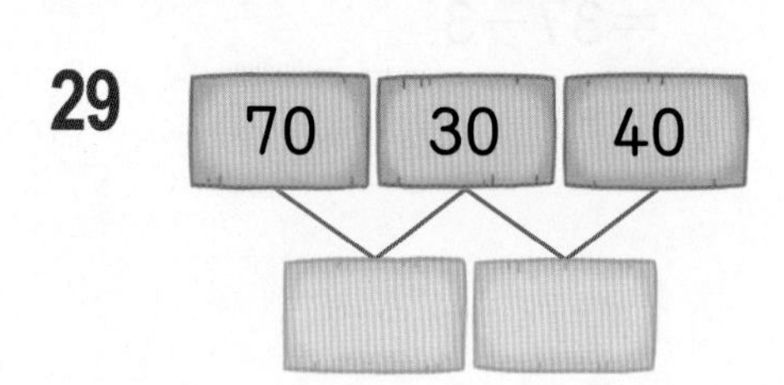

29

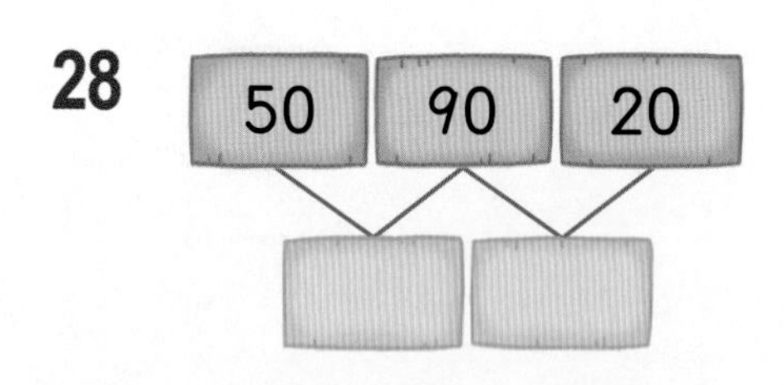

30 빈 곳에 두 수의 차를 써넣으세요.

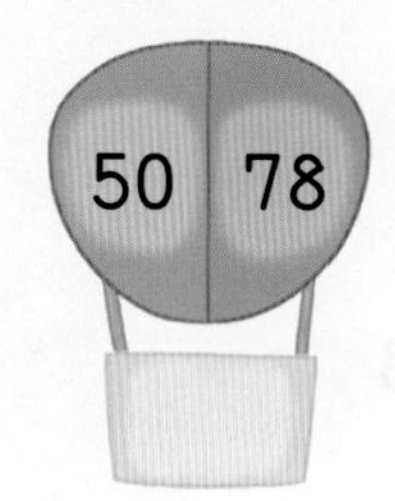

빈칸에 알맞은 수를 써넣으세요.

31

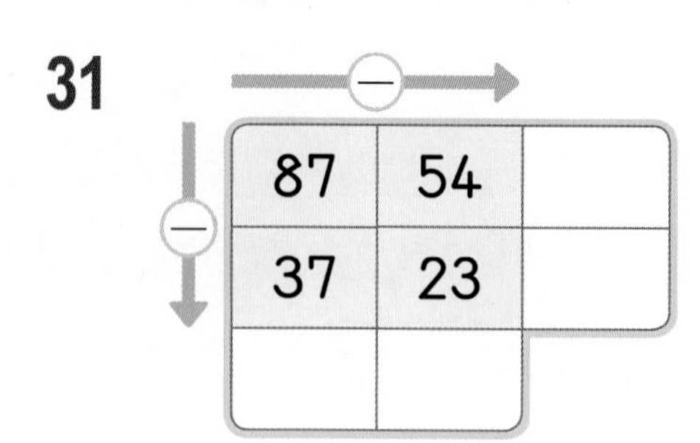

32

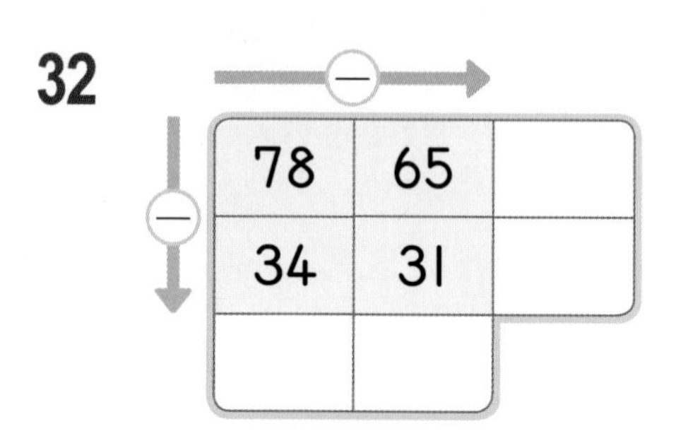

33 $65-24$를 2가지 방법으로 계산하세요.

34 $97-45$를 2가지 방법으로 계산하세요.

4 덧셈 (2)

학습 계획표

학습 내용	원리	연습
❶ 세 수의 덧셈	Day **43**	Day **44**
❷ 10이 되는 더하기	Day **45**	Day **46**
❸ 10을 만들어 더하기	Day **47**	Day **48**
❹ 받아올림이 있는 (몇)+(몇)	Day **49**	Day **50**
적용	Day **51**	
평가	Day **52**	

학습 관리 **tip** 맨 앞장의 학습 플래너를 이용하여 학습 스케줄을 관리하도록 하세요!

원리 ❶ 세 수의 덧셈

● 세 수의 덧셈 계산 방법

㉮ 2+3+1의 계산

① 앞의 두 수를 먼저 더합니다.

② 두 수를 더해 나온 수에 나머지 한 수를 더합니다.

$2+3+1=6$ (2+3 → 5, 5+1 → 6)

$$\begin{array}{r} 2 \\ +\ 3 \\ \hline 5 \end{array} \quad \rightarrow \quad \begin{array}{r} 5 \\ +\ 1 \\ \hline 6 \end{array}$$

뿡뿡이

세 수의 덧셈은 순서에 관계없이 더할 수 있지만 앞에서부터 차례대로 계산하여 세 수의 덧셈을 연습해.

방법 1 $2+3+1=5+1=6$

방법 2 $2+3+1=2+4=6$

□ 안에 알맞은 수를 써넣으세요.

1 $1+2+2=\square$

□ → □

2 $2+5+1=\square$

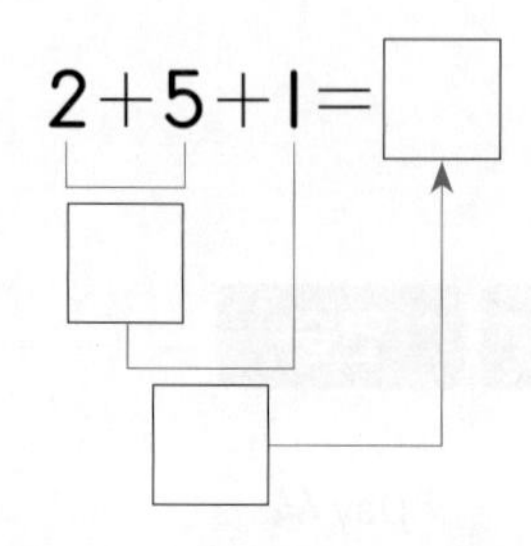

3 $3+1+2=\square$

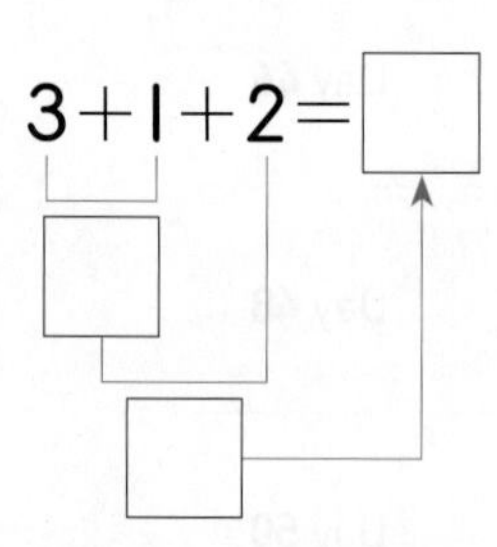

4 $4+1+4=\square$

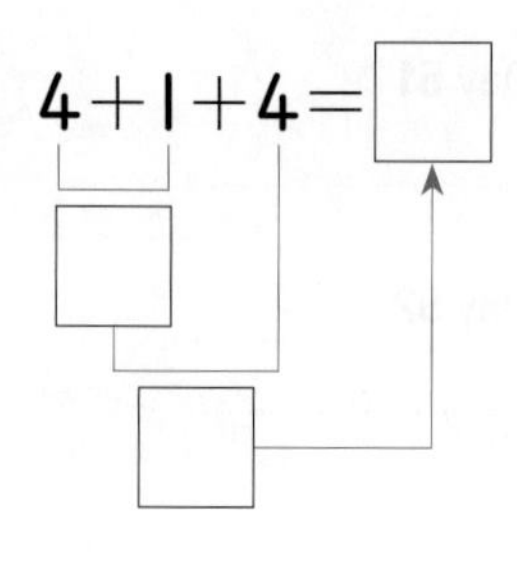

5 $1+5+3=\square$

□ → □

6 $3+2+2=\square$

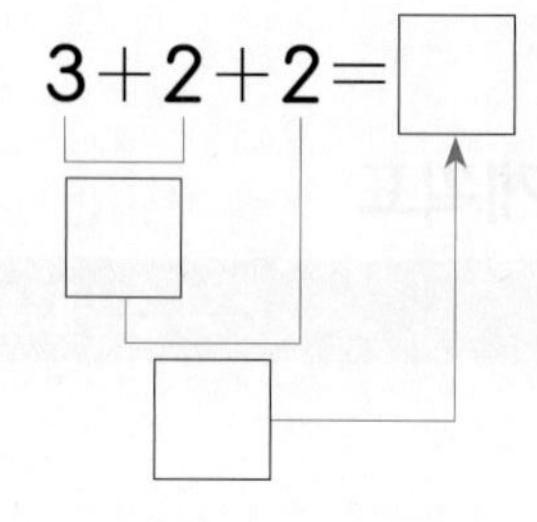

7 $2+1+5=\square$

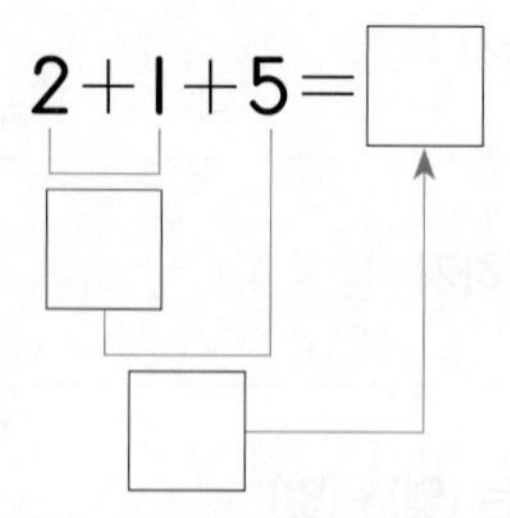

8 $4+2+3=\square$

□ → □

정답 ➜ 18쪽

월 일	분	개
학습 날짜	학습 시간	맞힌 개수

9 $1+3+4=\square$

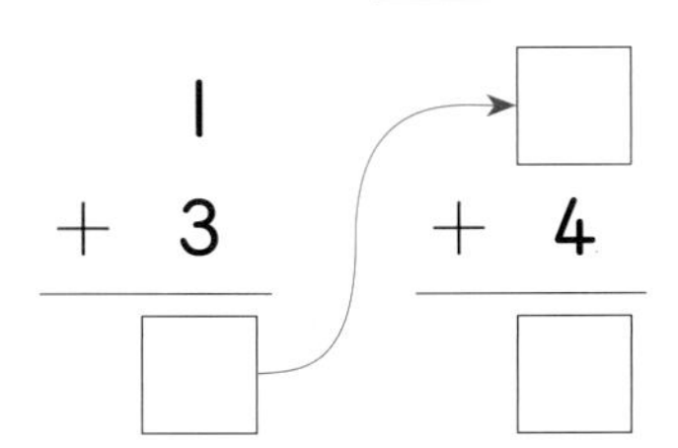

10 $2+2+3=\square$

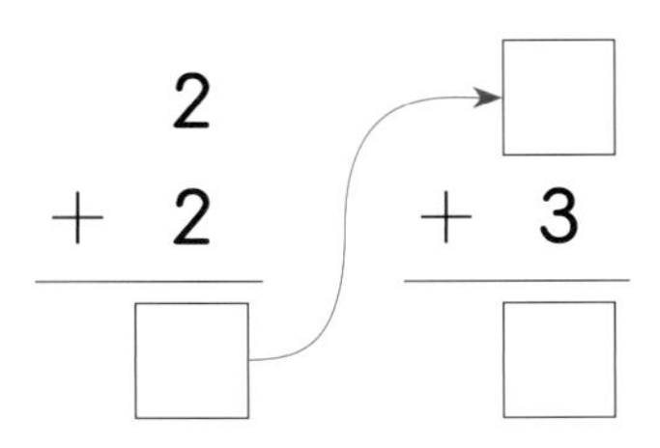

11 $2+1+4=\square$

$2 + 1 = \square$, $\square + 4 = \square$

12 $3+1+1=\square$

$3 + 1 = \square$, $\square + 1 = \square$

13 $1+4+1=\square$

$1 + 4 = \square$, $\square + 1 = \square$

14 $3+2+3=\square$

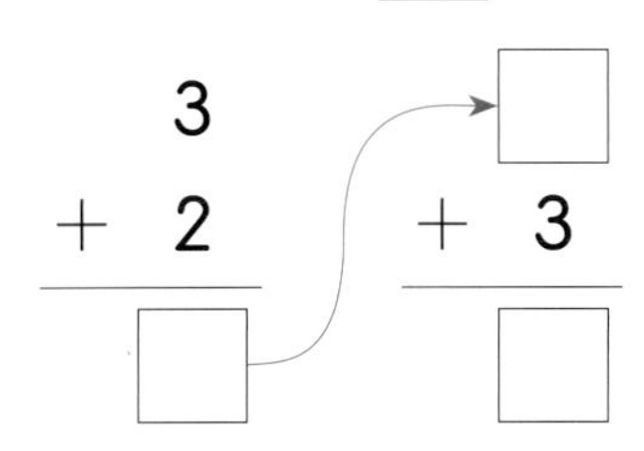

15 $4+1+2=\square$

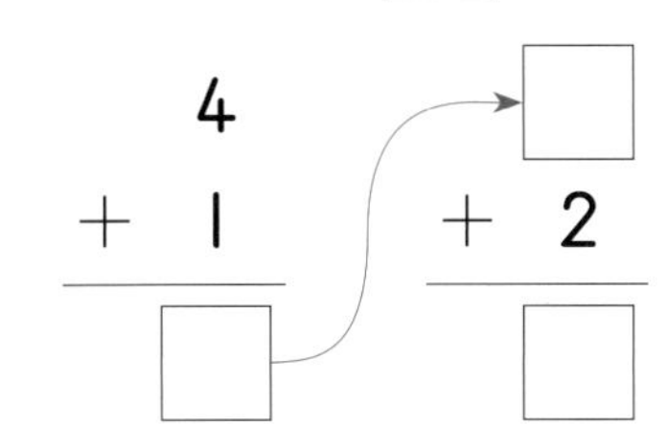

16 $5+2+1=\square$

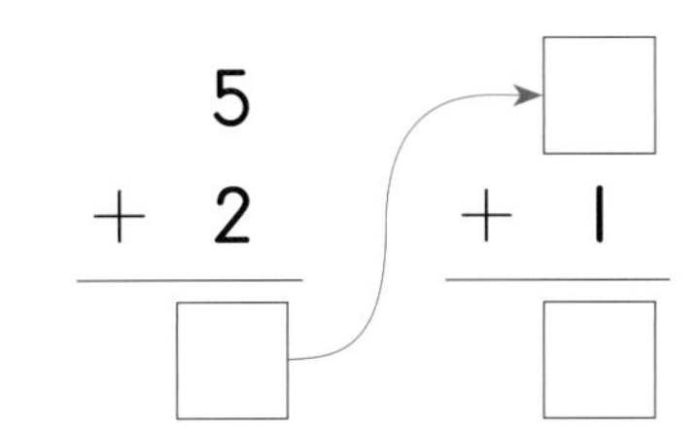

17 $2+6+1=\square$

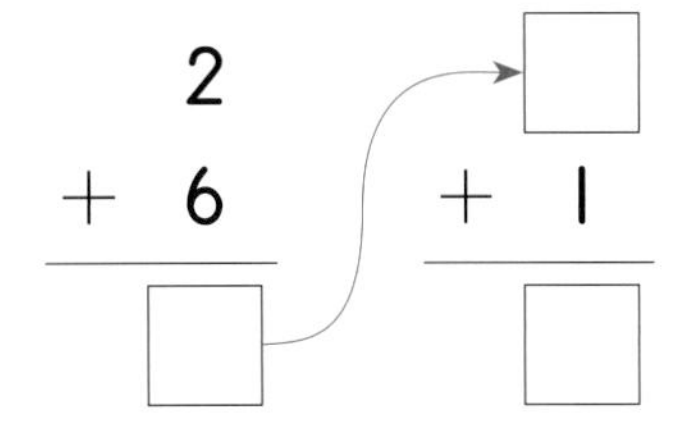

18 $3+4+2=\square$

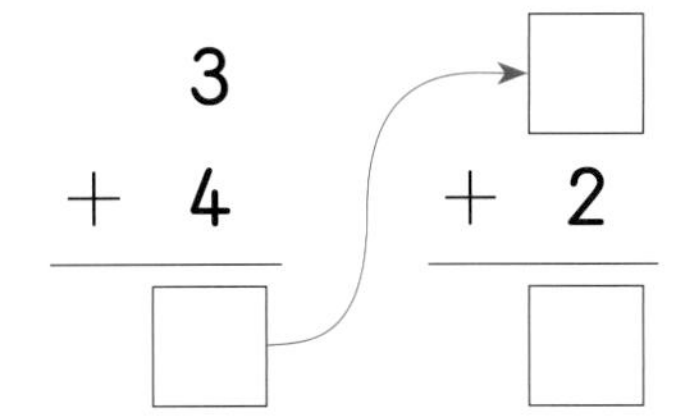

연습 ❶ 세 수의 덧셈

계산을 하세요.

1 $1+1+4$

2 $1+6+2$

3 $1+7+1$

4 $2+1+2$

5 $2+3+3$

6 $2+5+2$

7 $3+1+4$

8 $3+3+2$

9 $3+5+1$

10 $4+1+3$

11 $4+2+2$

12 $4+4+1$

13 $5+1+1$

14 $5+2+2$

15 $5+3+1$

16 $6+1+2$

17 1+2+3

18 1+3+5

19 1+5+2

20 2+1+6

21 2+3+2

22 2+4+3

23 3+2+1

24 3+3+3

25 1+4+2

26 4+3+1

27 4+3+2

28 5+1+2

29 6+2+1

30 7+1+1

실력 up

31 진원이는 빨간색 색종이 2장, 초록색 색종이 1장, 노란색 색종이 3장을 가지고 있습니다. 진원이가 가지고 있는 색종이는 모두 몇 장일까요?

2+1+3=□

 ____________

원리 ② 10이 되는 더하기

원리 동영상 강의

● 10이 되는 더하기 알아보기

예 6+□=10에서 □ 안에 알맞은 수 구하기

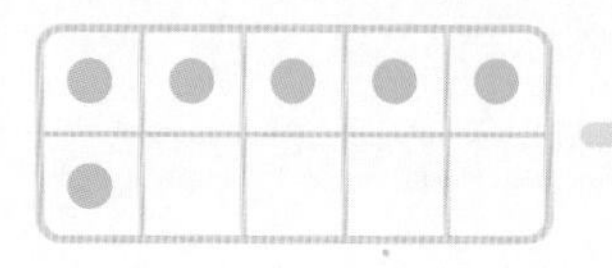

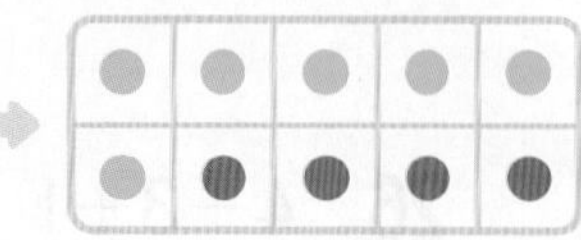

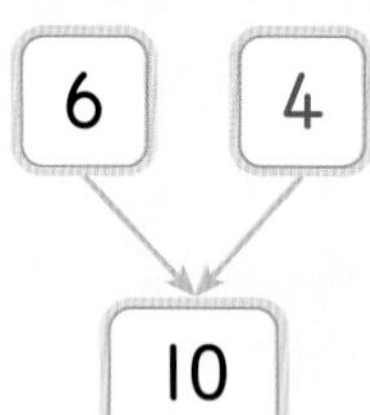

6+ 4 =10

└6과 더해서 10이 되는 수는 4입니다.

뿜뿜이

손가락을 사용하여 10이 되는 더하기를 익히도록 해.

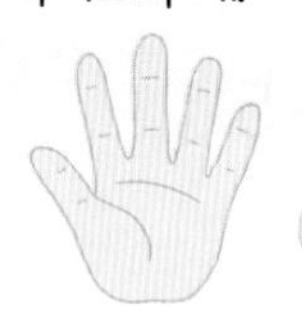

6과 더해서 10이 되는 수는 4야.

그림을 보고 □ 안에 알맞은 수를 써넣으세요.

1

4+□=10

2

7+□=10

3

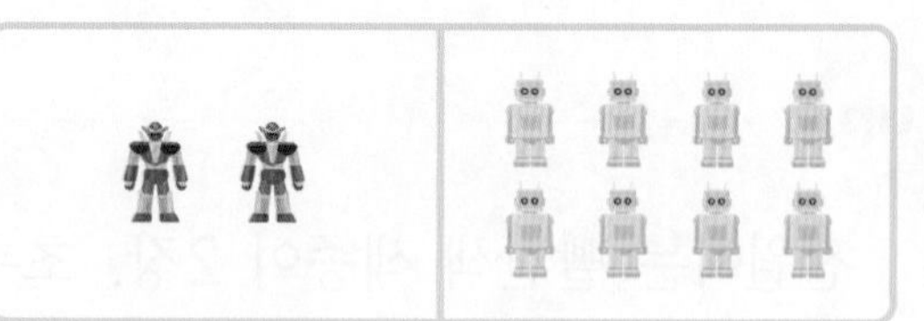

2+□=10

4

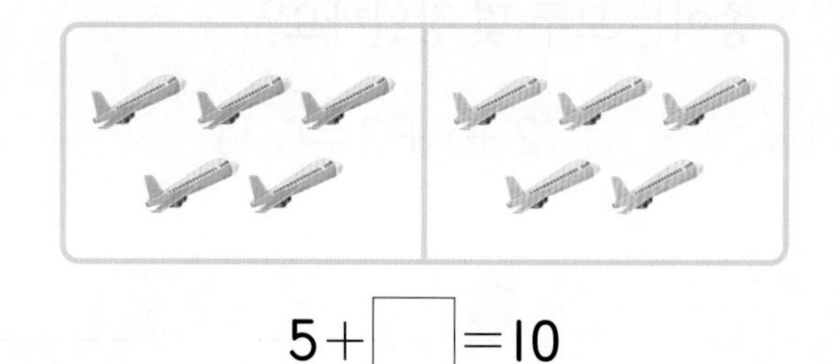

5+□=10

5

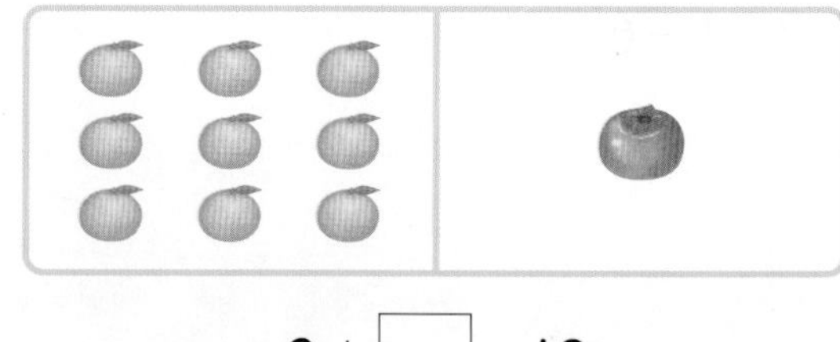

9+□=10

6

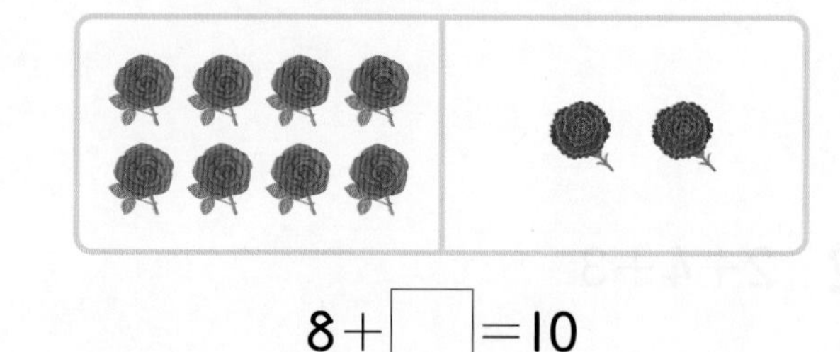

8+□=10

7

3+□=10

8

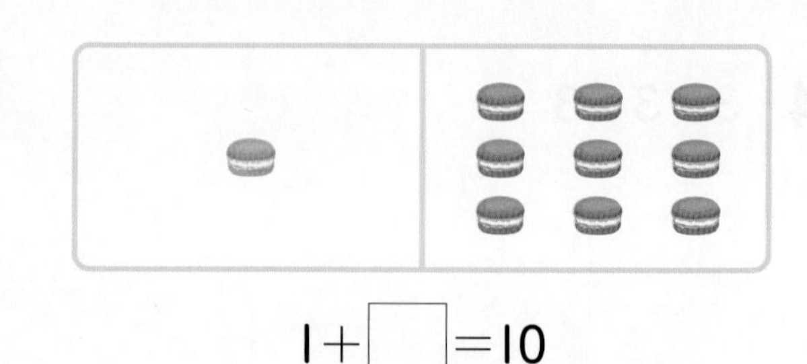

1+□=10

10이 되도록 빈칸에 ○를 그려 넣고, □ 안에 알맞은 수를 써넣으세요.

9

8+□=10

10

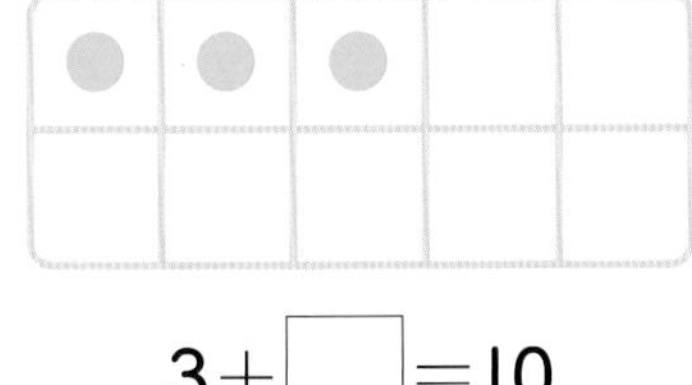

3+□=10

11

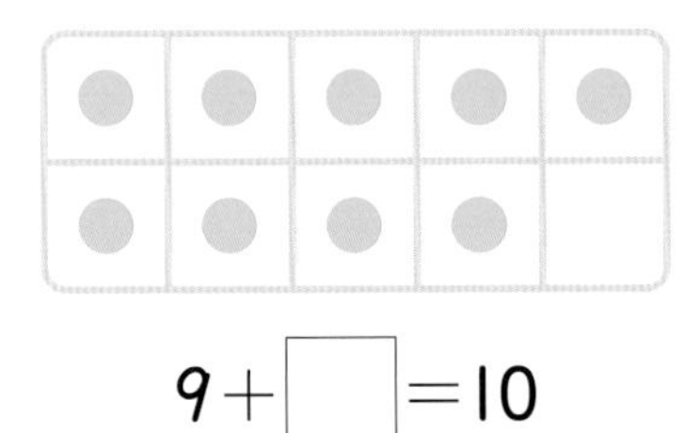

9+□=10

12

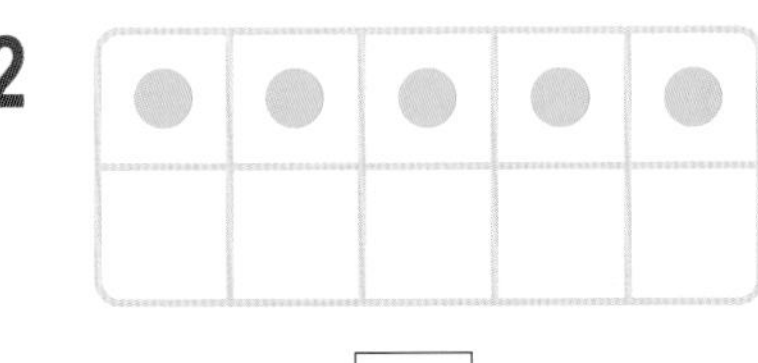

5+□=10

13

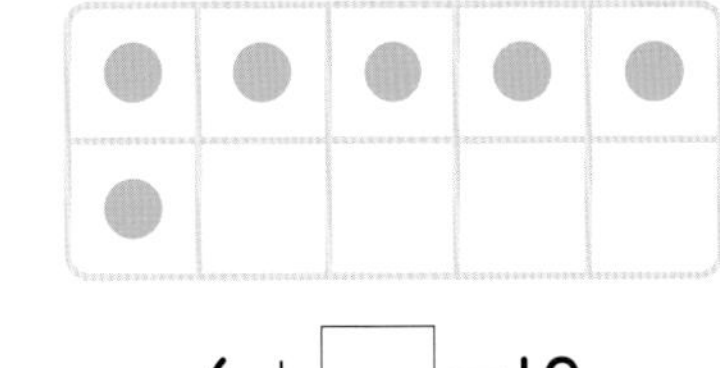

6+□=10

14

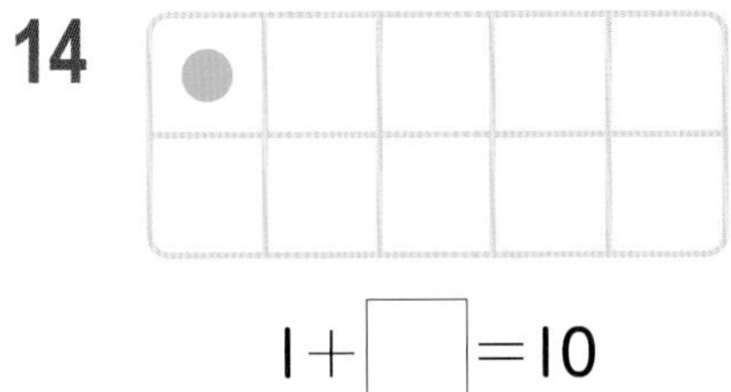

1+□=10

15

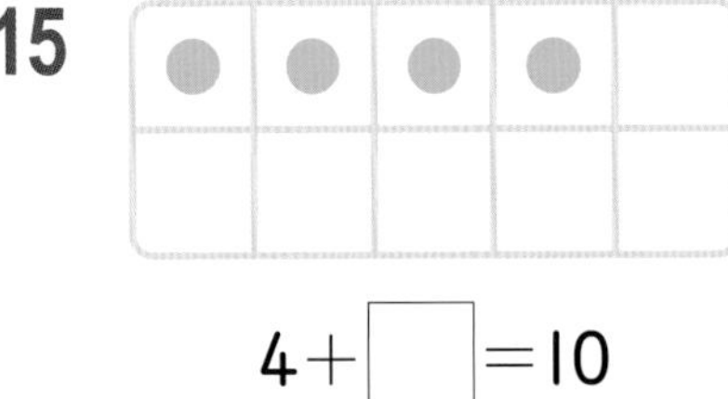

4+□=10

16

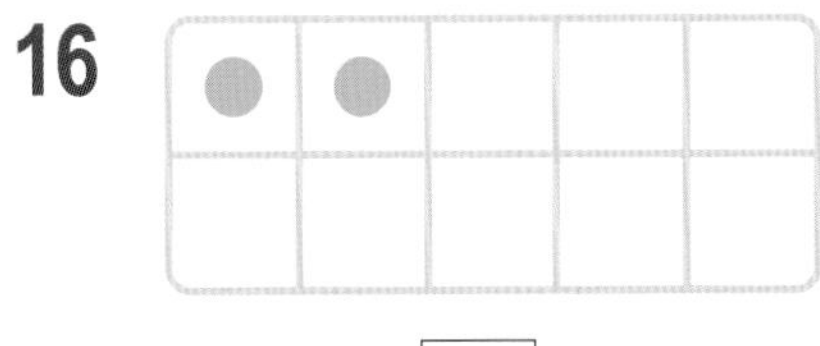

2+□=10

연습 ❷ 10이 되는 더하기

□ 안에 알맞은 수를 써넣으세요.

1 $3+\square=10$

2 $\square+6=10$

3 $2+8=\square$

4 $5+\square=10$

5 $\square+9=10$

6 $6+4=\square$

7 $7+\square=10$

8 $\square+1=10$

9 $\square+2=10$

10 $1+\square=10$

11 $7+3=\square$

12 $\square+4=10$

13 $\square+7=10$

14 $9+1=\square$

15 $\square+8=10$

16 $4+\square=10$

합이 10이 되는 것에 ○표 하세요.

17

3+6	4+5
2+8	7+2

18

2+7	3+4
8+1	6+4

19

5+4	7+3
6+3	1+4

20

4+4	6+2
1+9	3+4

21

4+6	2+4
3+5	8+1

22

5+5	3+3
7+2	8+1

23

5+2	3+7
3+3	1+4

24

4+4	3+6
2+5	9+1

25

4+3	1+7
8+2	5+4

실력 up

26 진우는 손가락을 8개 펼쳤습니다. 진우가 접은 손가락은 몇 개일까요?

$8+\square=10$

답

원리

③ 10을 만들어 더하기

10을 만들어 더하는 방법

① 합이 10이 되는 두 수를 먼저 더합니다.

② 두 수를 더해 나온 수에 나머지 한 수를 더합니다.

예 $3+7+1=11$ (3+7 → 10, 10+1 → 11)　　$1+3+7=11$ (3+7 → 10, 1+10 → 11)

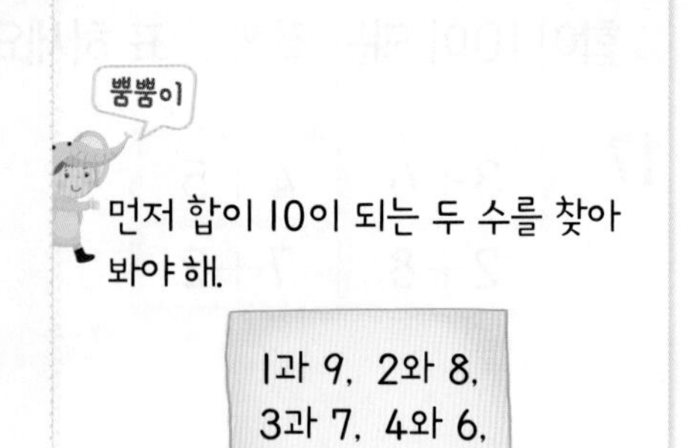

□ 안에 알맞은 수를 써넣으세요.

1 $1+9+2=$ □ (1+9 → □, □+2 → □)

2 $8+2+6=$ □ (8+2 → □, □+6 → □)

3 $4+6+3=$ □ (4+6 → □, □+3 → □)

4 $5+5+4=$ □ (5+5 → □, □+4 → □)

5 $5+2+8=$ □ (2+8 → □, 5+□ → □)

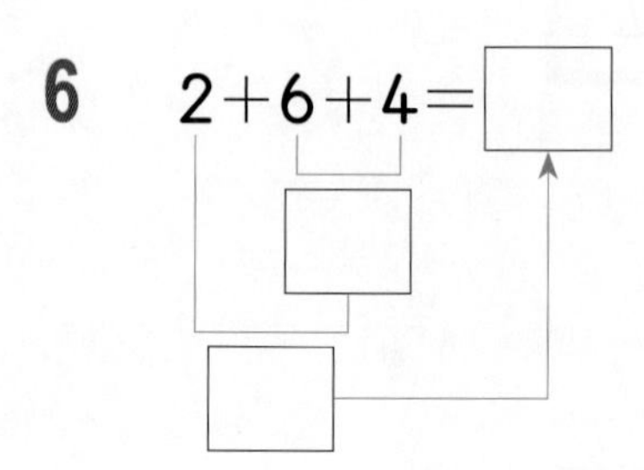

6 $2+6+4=$ □ (6+4 → □, 2+□ → □)

7 $2+7+3=$ □ (7+3 → □, 2+□ → □)

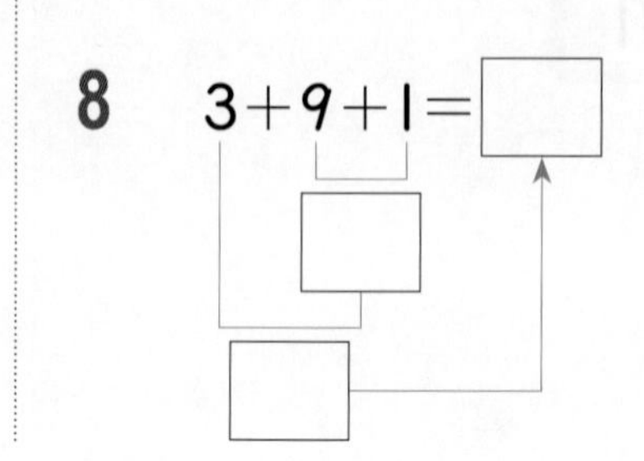

8 $3+9+1=$ □ (9+1 → □, 3+□ → □)

합이 10이 되는 두 수를 ◯로 묶고, 계산을 하세요.

9 $2+8+3=$ ☐

10 $6+4+5=$ ☐

11 $9+1+7=$ ☐

12 $4+3+7=$ ☐

13 $3+5+5=$ ☐

14 $8+1+9=$ ☐

15 $7+4+6=$ ☐

16 $7+3+5=$ ☐

17 $8+2+7=$ ☐

18 $3+7+5=$ ☐

19 $4+6+8=$ ☐

20 $3+7+6=$ ☐

21 $5+5+6=$ ☐

22 $4+2+8=$ ☐

23 $2+9+1=$ ☐

24 $6+4+3=$ ☐

❸ 10을 만들어 더하기

보기 와 같은 방법으로 계산하세요.

보기

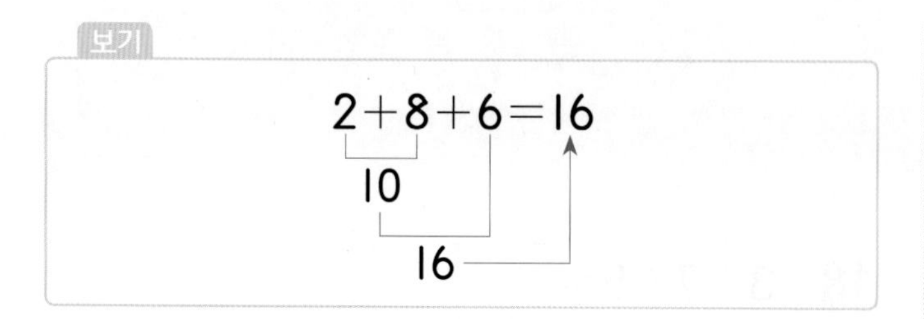

보기

$2+3+7=12$ (3+7=10, 2+10=12)

1 $3+7+8$

2 $1+9+7$

3 $6+4+9$

4 $8+2+5$

5 $5+5+8$

6 $6+1+9$

7 $5+4+6$

8 $4+7+3$

9 $4+9+1$

10 $9+8+2$

계산을 하세요.

11 $1+9+4$

12 $3+3+7$

13 $6+4+6$

14 $5+7+5$

15 $2+8+7$

16 $8+4+6$

17 $4+8+2$

18 $6+7+3$

19 $9+1+5$

20 $2+1+8$

21 $6+9+4$

22 $6+9+1$

23 $5+5+5$

24 $6+4+7$

실력 up

25 혜람이는 동화책을 7권, 위인전을 7권, 과학책을 3권 샀습니다. 혜람이가 산 책은 모두 몇 권일까요?

$7+7+3=\square$

❹ 받아올림이 있는 (몇)+(몇)

○ 받아올림이 있는 (몇)+(몇)의 계산 방법

예 8+6의 계산

방법 1 6을 2와 4로 가르기를 하여 8과 2를 더해 10을 만들고 남은 4와 더하면 14가 됩니다.

방법 2 8을 4와 4로 가르기를 하여 6과 4를 더해 10을 만들고 남은 4와 더하면 14가 됩니다.

방법 1 8+6=14 (6 → 2, 4)　방법 2 8+6=14 (8 → 4, 4)

뿜뿜이: 두 수 중 한 수를 가르기 한 후 다른 수와 더해 10을 만들고 남은 수를 더하면 돼.

□ 안에 알맞은 수를 써넣으세요.

1 7+8=□ (8 → □, 5)

2 9+3=□ (3 → □, 2)

3 6+8=□ (8 → □, 4)

4 5+7=□ (7 → □, 2)

5 5+9=□ (5 → 4, □)

6 4+8=□ (4 → 2, □)

7 8+5=□ (8 → 3, □)

8 7+6=□ (7 → 3, □)

정답 20쪽

9 $7+4=\square$

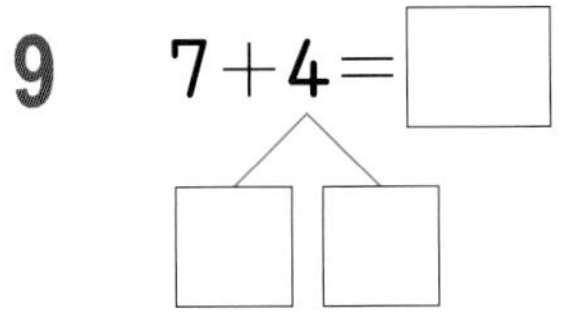

10 $6+5=\square$

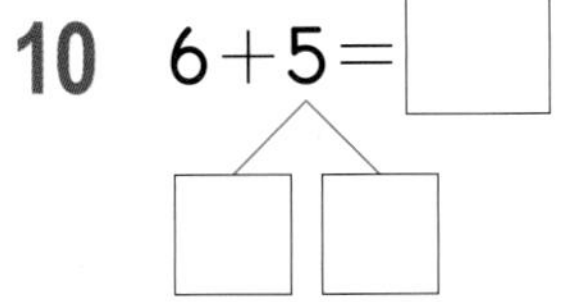

11 $7+7=\square$

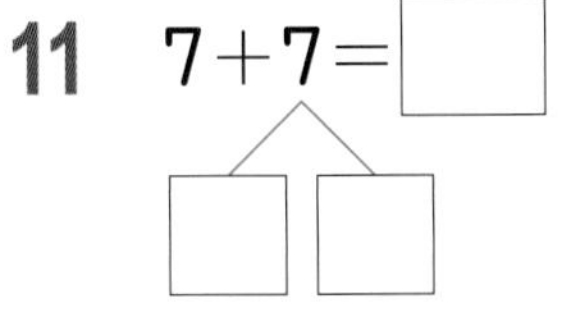

12 $9+6=\square$

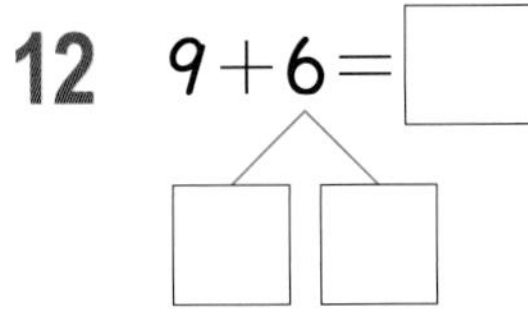

13 $8+7=\square$

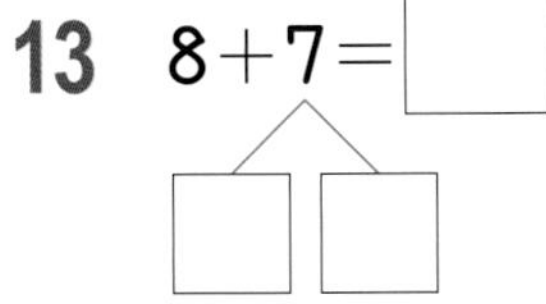

14 $9+8=\square$

15 $2+9=\square$

16 $5+8=\square$

17 $3+8=\square$

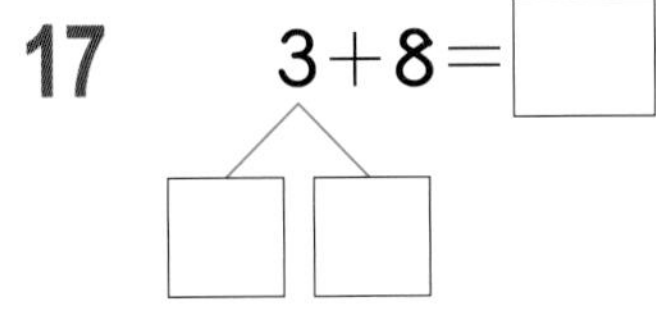

18 $8+8=\square$

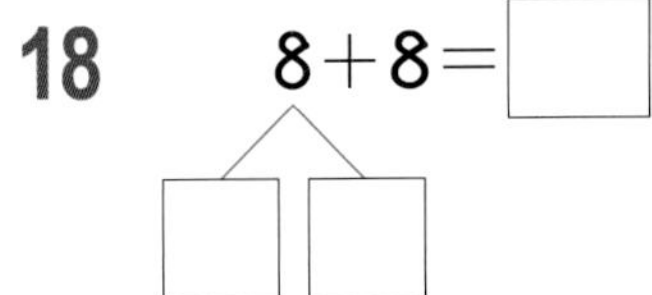

19 $4+9=\square$

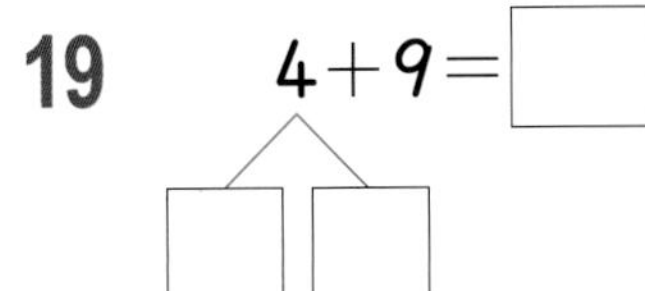

20 $9+9=\square$

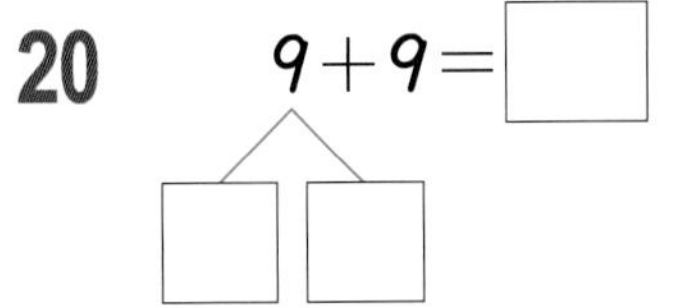

연습 ❹ 받아올림이 있는 (몇)+(몇)

계산을 하세요.

1 $9+2$

2 $4+7$

3 $5+6$

4 $7+5$

5 $8+9$

6 $6+6$

7 $9+4$

8 $6+7$

9 $8+4$

10 $9+5$

11 $6+9$

12 $7+9$

13 $3+9$

14 $9+7$

정답 ➡ 20쪽

월　일	분	개
학습 날짜	학습 시간	맞힌 개수

15 $2+9$

16 $4+8$

17 $6+8$

18 $8+3$

19 $7+8$

20 $8+6$

21 $5+9$

22 $8+8$

23 $5+8$

24 $7+4$

25 $8+7$

26 $9+9$

27 $7+6$

28 $5+7$

29 팔굽혀펴기를 세영이는 8번 하고 은진이는 세영이보다 5번 더 많이 하였습니다. 은진이는 팔굽혀펴기를 몇 번 했을까요?

$8+5=\square$

답 ________

적용

4. 덧셈 (2)

빈 곳에 알맞은 수를 써넣으세요.

1

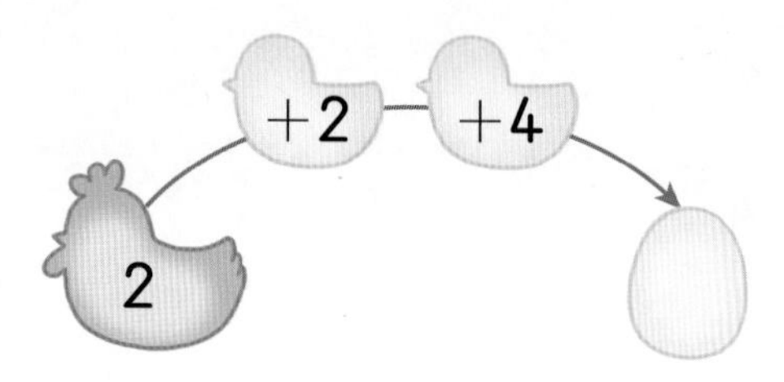

2

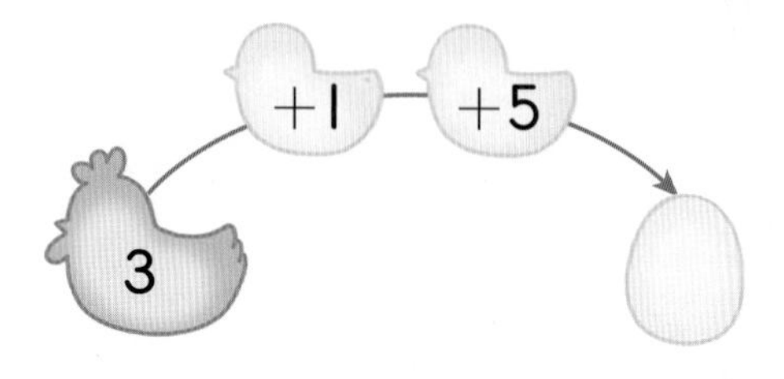

3

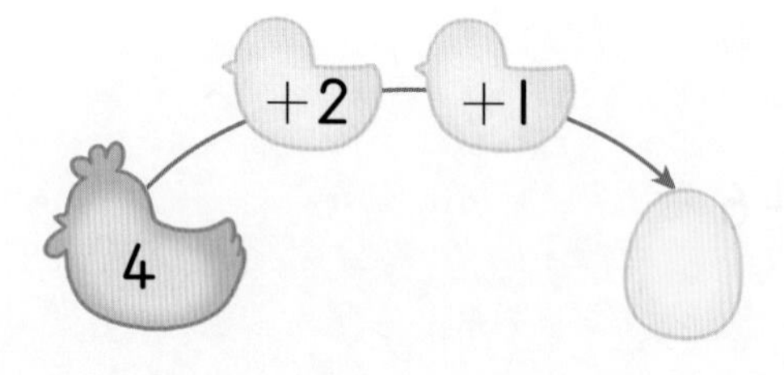

4

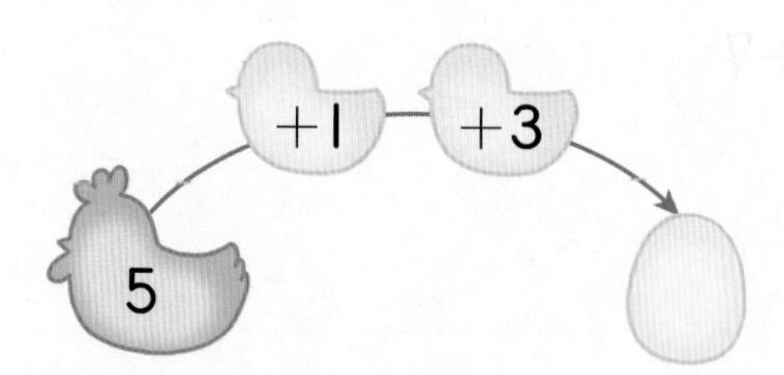

5

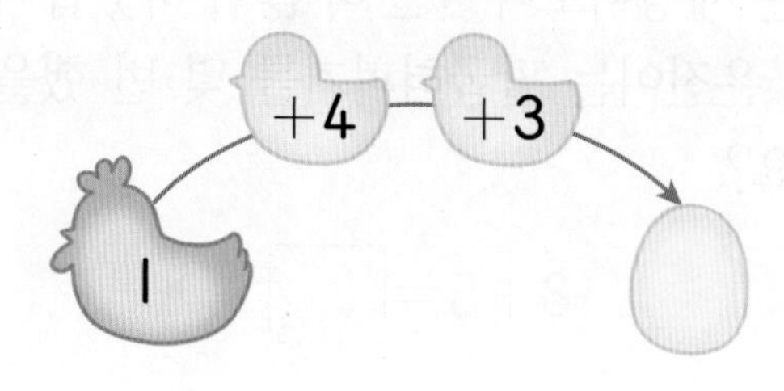

합이 10이 되도록 □ 안에 알맞은 수를 써넣으세요.

6

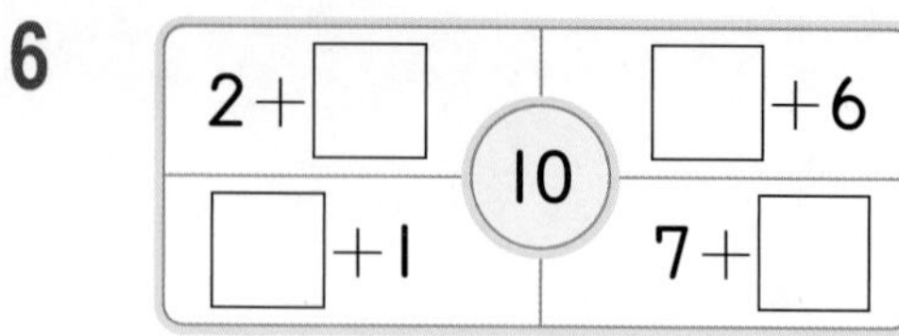

7

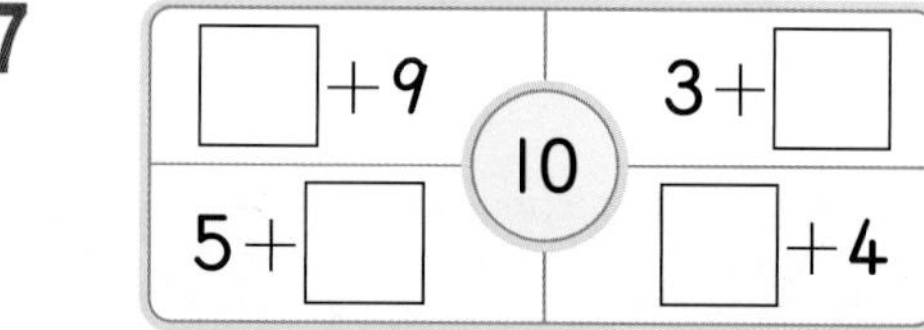

8

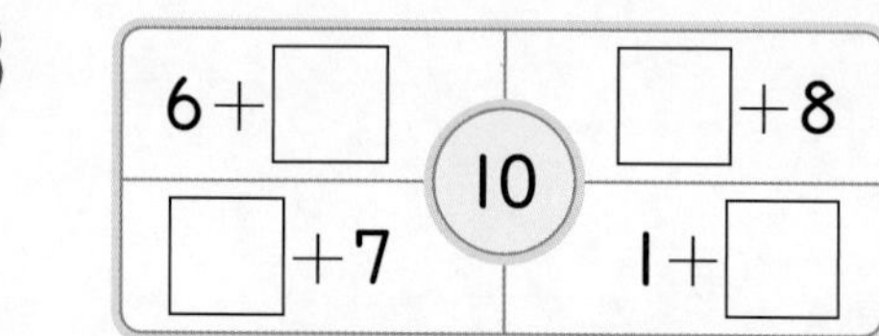

9

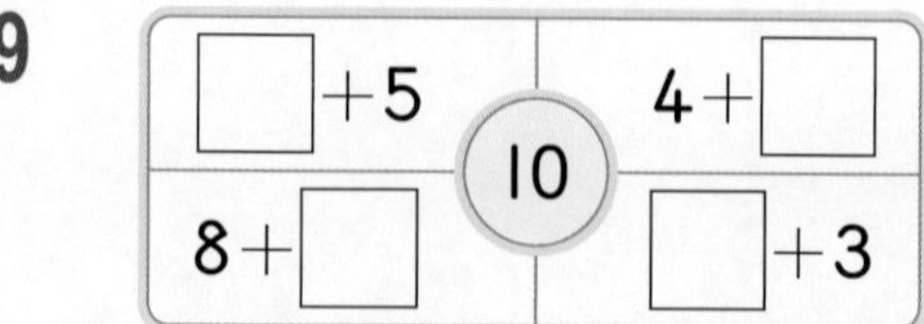

빈 곳에 세 수의 합을 써넣으세요.

10

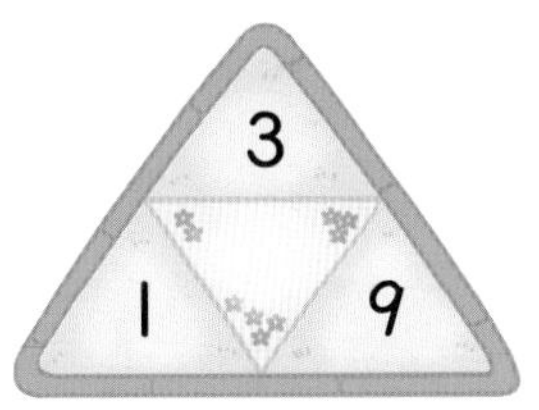

11

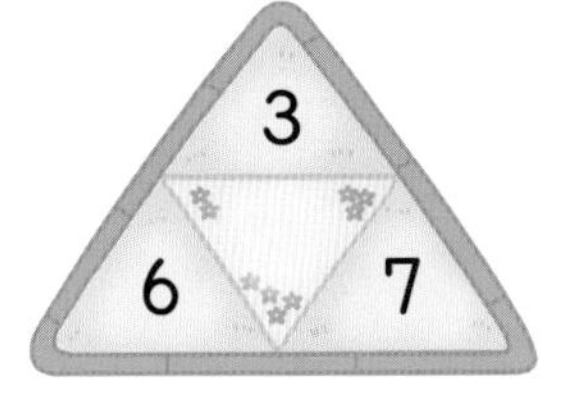

12

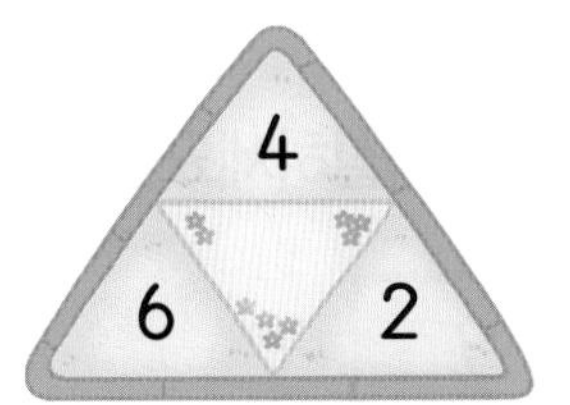

13

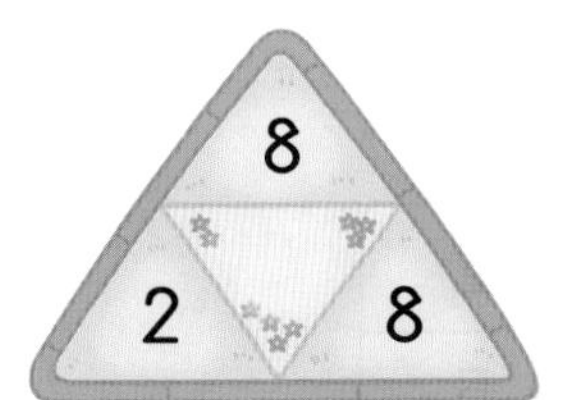

14

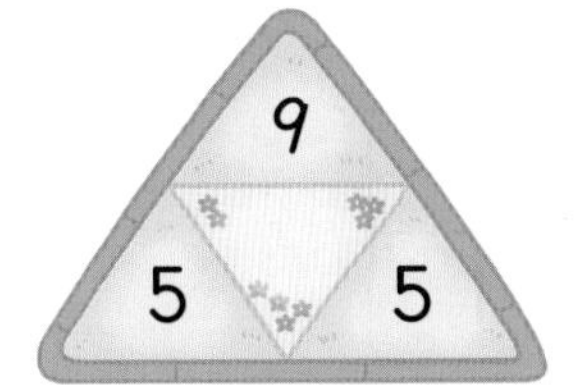

빈칸에 알맞은 수를 써넣으세요.

15

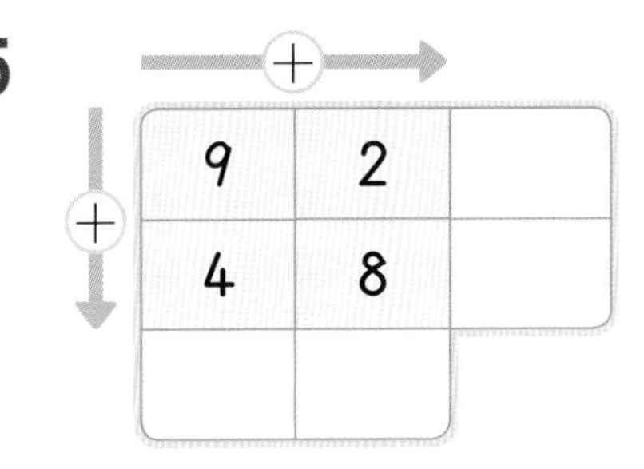

16

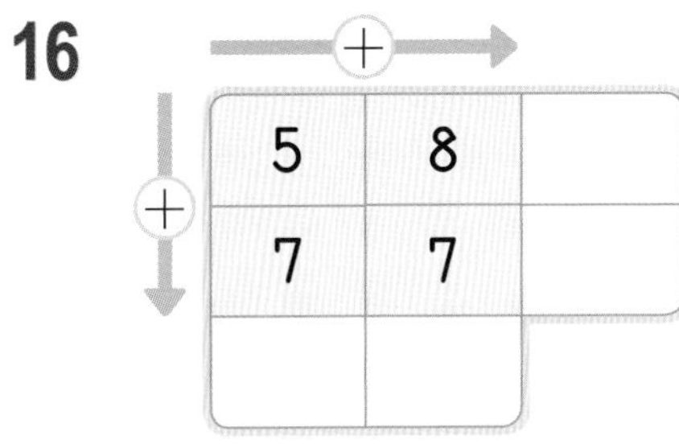

17

6	9	
8	5	

18

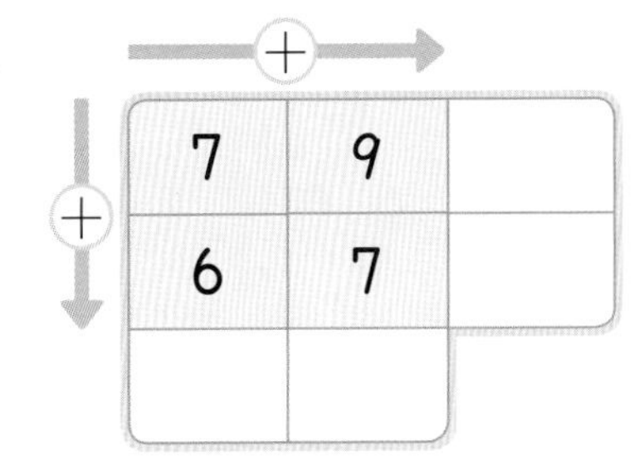

평가 4. 덧셈 (2)

계산을 하세요.

1 $3+1+3$

2 $2+2+5$

3 $1+1+7$

4 $1+2+6$

5 $3+2+2$

6 $4+1+3$

7 $2+2+2$

□ 안에 알맞은 수를 써넣으세요.

8 $4+\square=10$

9 $\square+2=10$

10 $3+\square=10$

합이 10이 되는 칸에 모두 색칠하세요.

11

2+7	1+9
4+4	6+3

12

8+2	5+2
3+5	5+5

13

1+8	5+4
6+4	9+1

정답 ➔ 21쪽

월　일	분	개
학습 날짜	학습 시간	맞힌 개수

보기 와 같은 방법으로 계산하세요.

보기

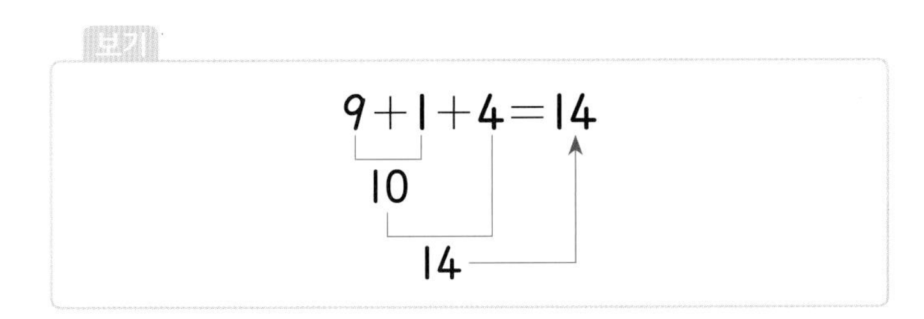

14　$6+4+8$

보기

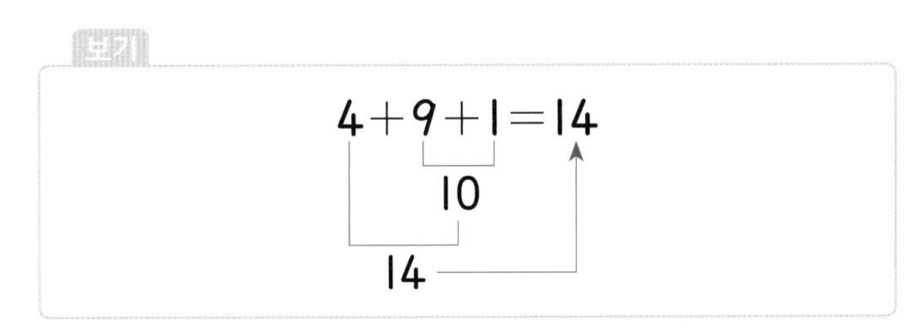

15　$5+7+3$

계산을 하세요.

16　$3+8+2$

17　$5+8+5$

18　$9+4+6$

계산을 하세요.

19　$3+9$

20　$9+6$

21　$8+8$

22　$7+5$

23　$4+8$

24　$7+8$

25　$8+6$

정답 ➔ 21쪽

:: 빈칸에 알맞은 수를 써넣으세요.

26

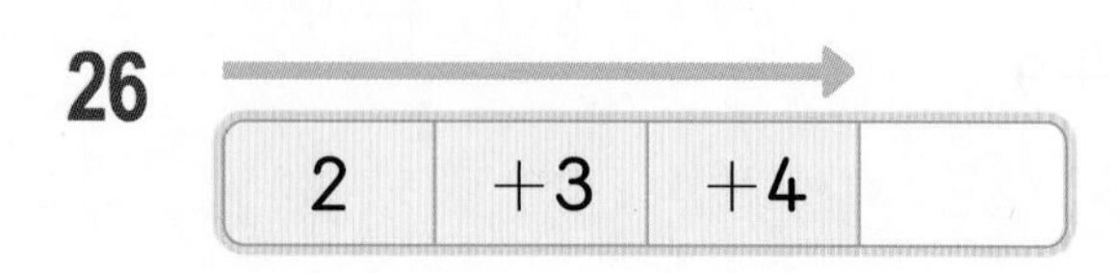

2	+3	+4	

27

3	+4	+1	

28

5	+2	+2	

:: 합이 10이 되도록 □ 안에 알맞은 수를 써넣으세요.

29

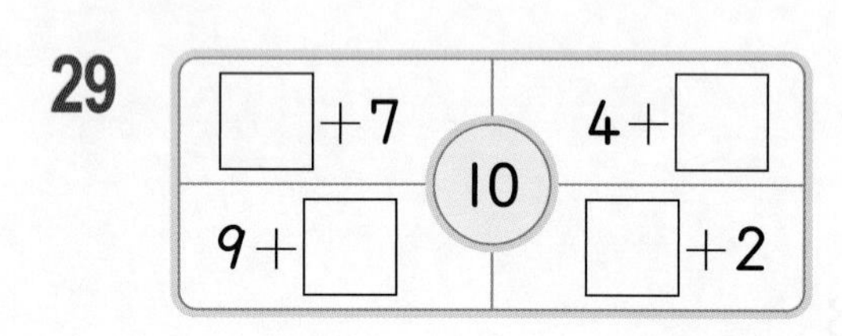

□+7, 4+□, 9+□, □+2 (가운데: 10)

30

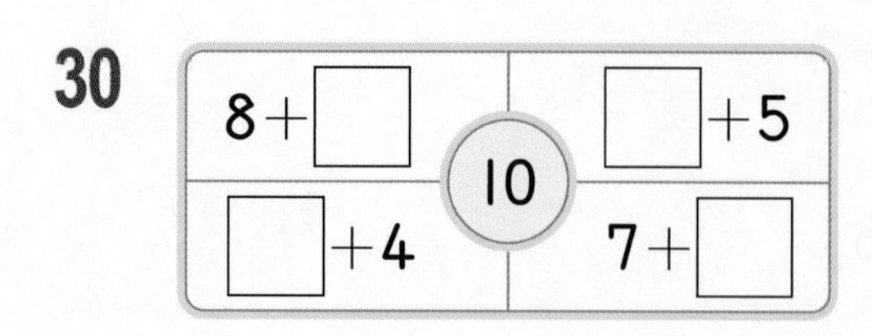

8+□, □+5, □+4, 7+□ (가운데: 10)

31

□+3, 2+□, 1+□, □+6 (가운데: 10)

:: 빈 곳에 세 수의 합을 써넣으세요.

32

33

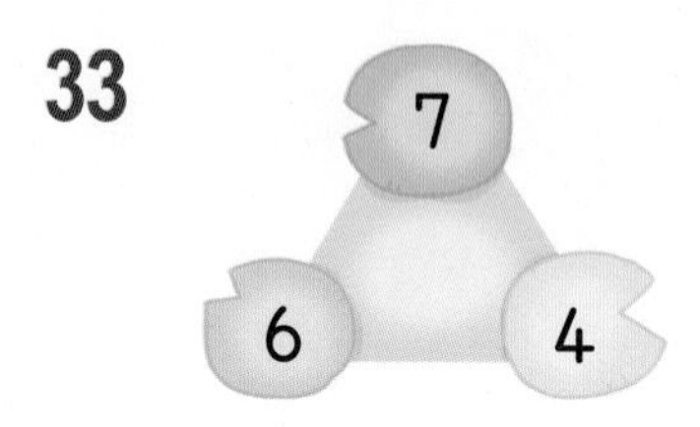

34

8, 6, 2

:: 빈칸에 알맞은 수를 써넣으세요.

35

+	3	4	9
8			

36

+	5	6	8
6			

37

+	3	8	9
9			

5 뺄셈 (2)

학습 계획표

학습 내용	원리	연습
❶ 세 수의 뺄셈	Day **53**	Day **54**
❷ 10에서 빼기	Day **55**	Day **56**
❸ 받아내림이 있는 (십몇)−(몇)	Day **57**	Day **58**
적용	Day **59**	
평가	Day **60**	

학습 관리 **tip** 맨 앞장의 학습 플래너를 이용하여 학습 스케줄을 관리하도록 하세요!

원리 ❶ 세 수의 뺄셈

세 수의 뺄셈 계산 방법

예 7 − 3 − 2의 계산

① 앞의 두 수의 뺄셈을 먼저 합니다.

② 두 수의 뺄셈을 하여 나온 수에서 나머지 한 수를 뺍니다.

$7-3-2=2$ (7 − 3 = 4, 4 − 2 = 2)

$$\begin{array}{r} 7 \\ -\ 3 \\ \hline 4 \end{array} \rightarrow \begin{array}{r} 4 \\ -\ 2 \\ \hline 2 \end{array}$$

조심이

세 수의 뺄셈은 반드시 앞에서부터 차례대로 계산해야 해!

$7-3-2=4-2=2$ (○)

$7-3-2=7-1=6$ (×)

□ 안에 알맞은 수를 써넣으세요.

1 $4-1-2=\square$

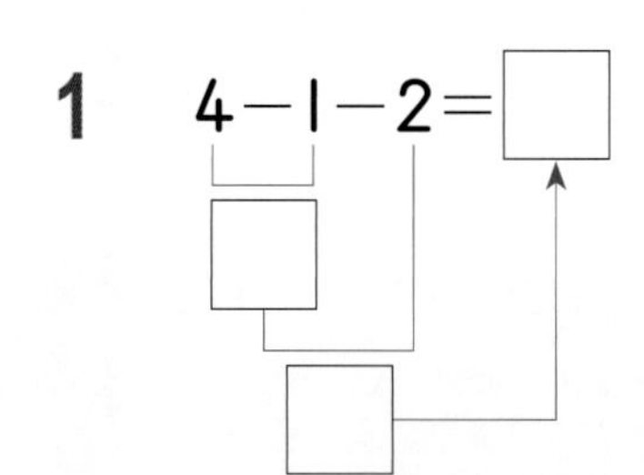

2 $6-2-1=\square$

3 $9-4-3=\square$

4 $5-1-3=\square$

5 $8-1-5=\square$

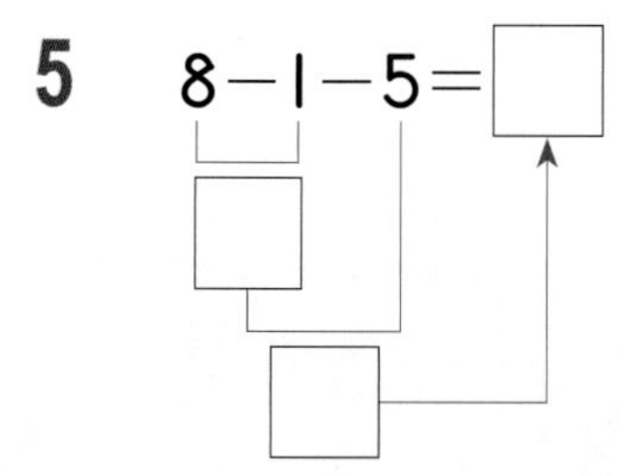

6 $7-2-4=\square$

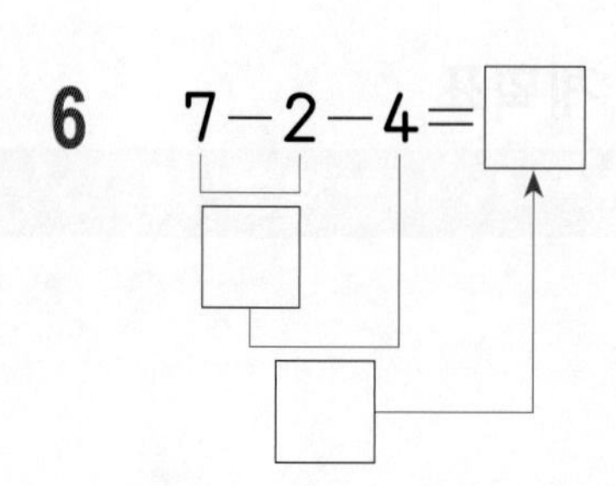

7 $8-3-3=\square$

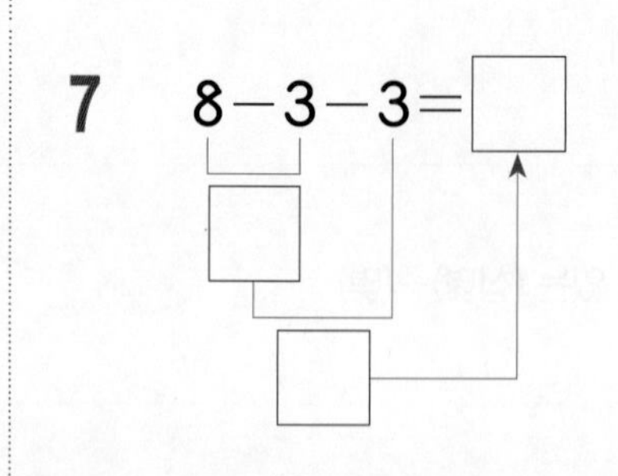

8 $6-1-4=\square$

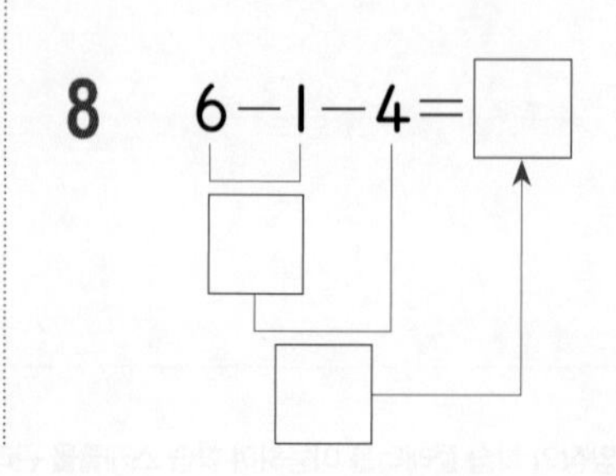

9 $3-1-1=\square$

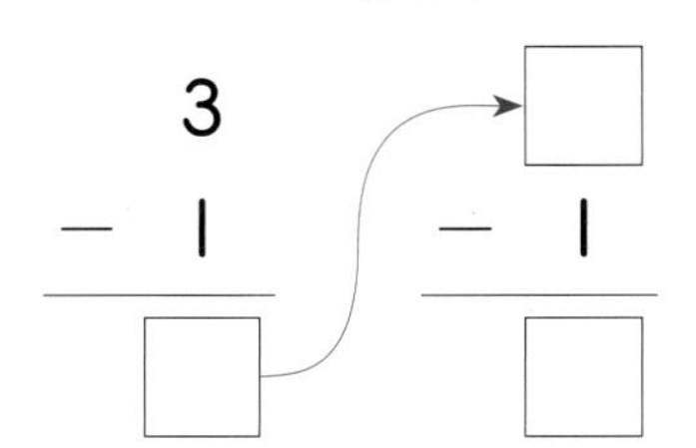

10 $5-2-1=\square$

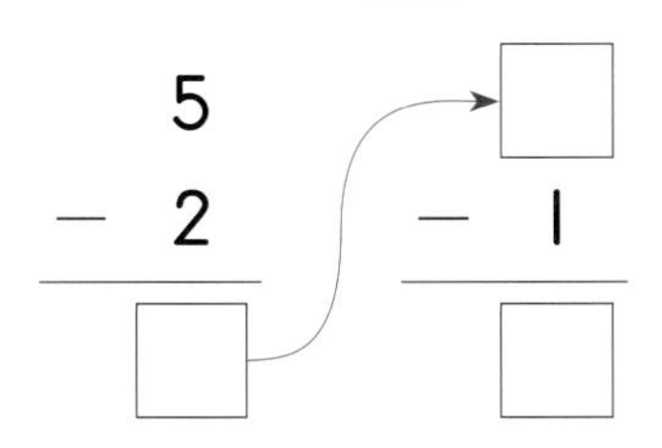

11 $4-1-3=\square$

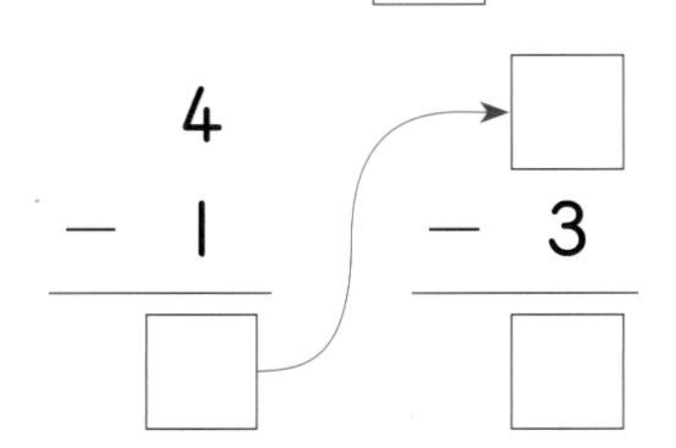

12 $6-1-3=\square$

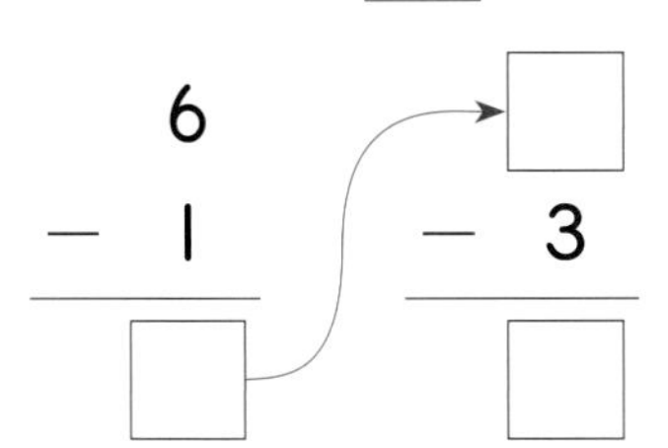

13 $7-5-1=\square$

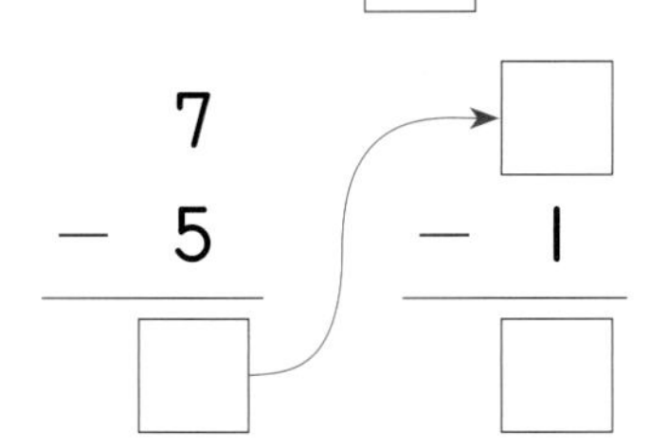

14 $5-1-2=\square$

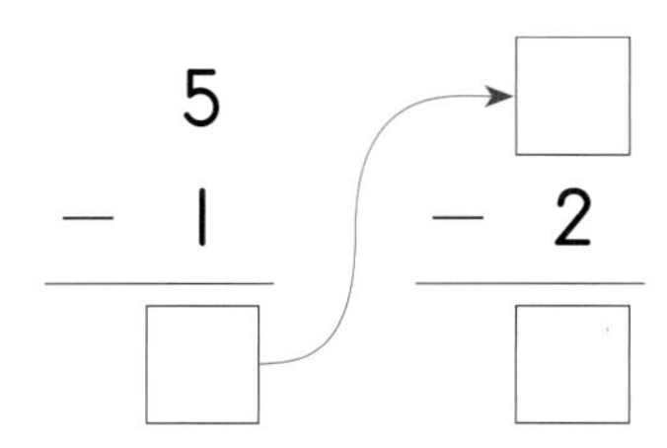

15 $8-2-4=\square$

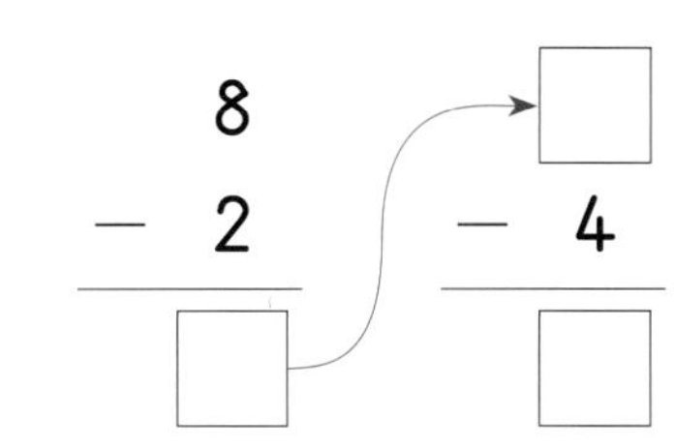

16 $9-5-1=\square$

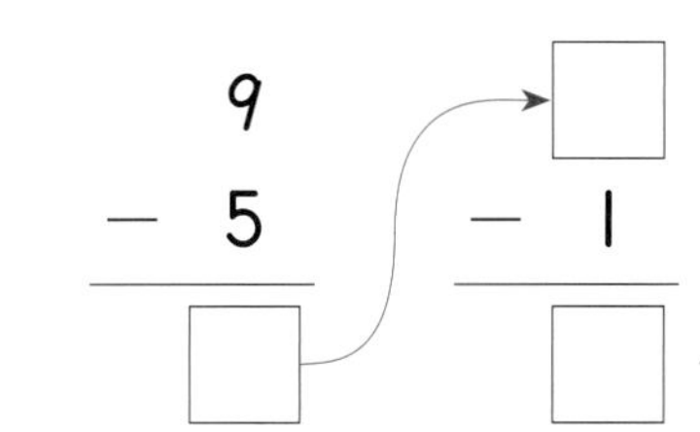

17 $8-5-2=\square$

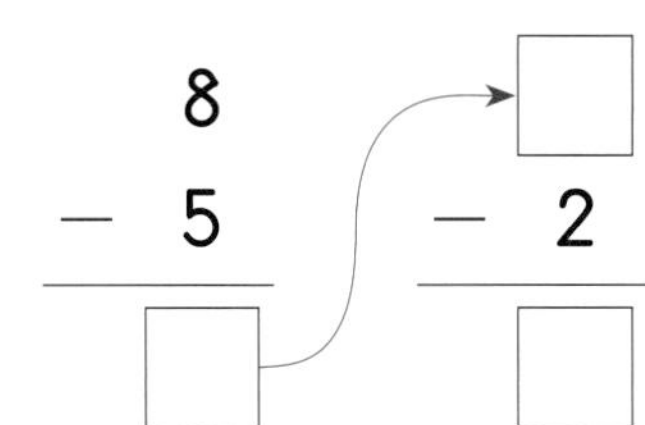

18 $9-2-6=\square$

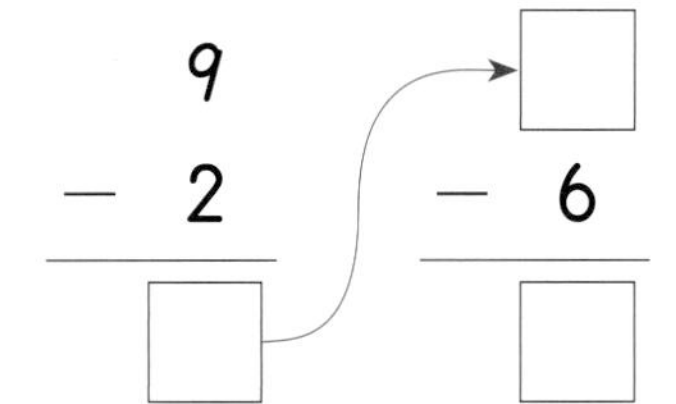

연습 ❶ 세 수의 뺄셈

계산을 하세요.

1 $4-2-1$

2 $2-1-1$

3 $5-2-2$

4 $6-3-1$

5 $9-3-3$

6 $7-4-2$

7 $8-5-1$

8 $9-1-5$

9 $3-1-2$

10 $6-2-2$

11 $5-3-1$

12 $6-1-2$

13 $8-2-2$

14 $9-3-4$

15 $7-1-3$

16 $8-4-3$

17 8−1−4

18 4−2−2

19 6−2−3

20 7−1−4

21 3−2−1

22 7−2−1

23 8−2−5

24 9−6−2

25 6−3−2

26 7−2−3

27 9−2−5

28 8−4−4

29 7−3−3

30 9−2−3

실력 up

31 진희는 쿠키 8개를 만들었습니다. 그중에서 3개를 오전에 먹고 2개를 오후에 먹었습니다. 남은 쿠키는 몇 개일까요?

8−3−2=□

원리 ❷ 10에서 빼기

● 10에서 빼기 알아보기

예 10−7의 계산

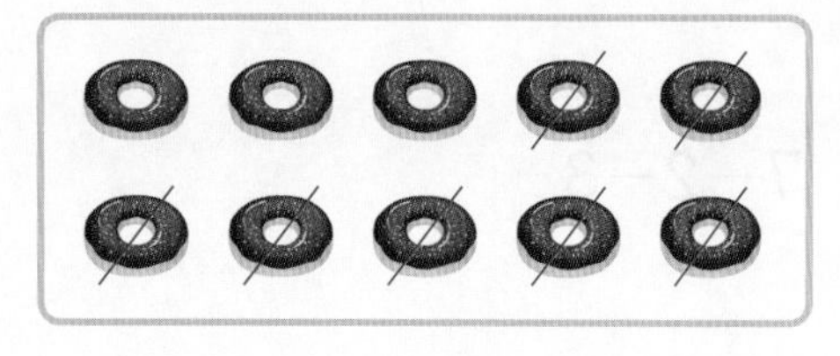

10−7=[3]

└10에서 7을 빼면 3이 됩니다.

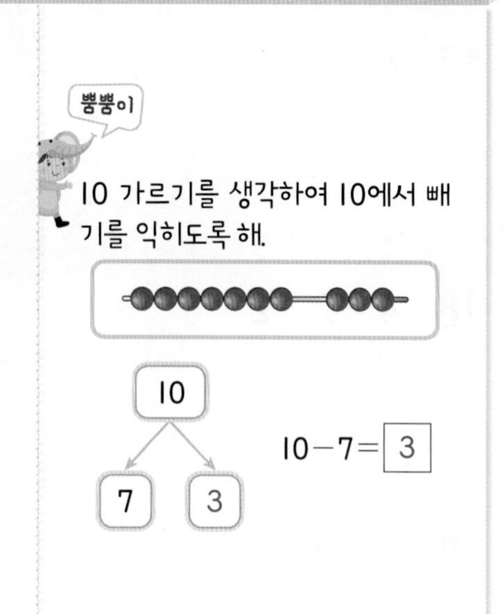

⁘ 그림을 보고 □ 안에 알맞은 수를 써넣으세요.

1

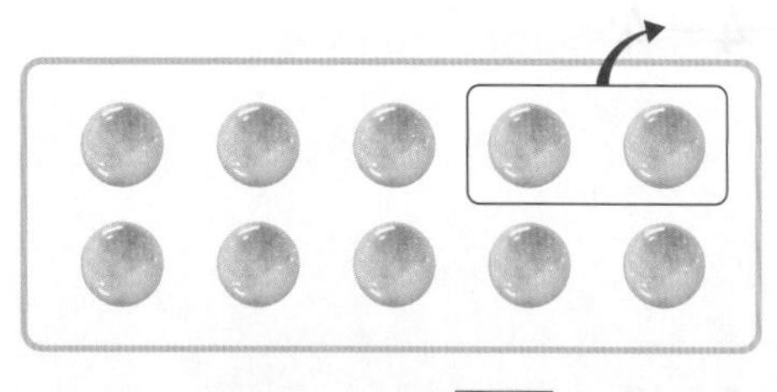

10−2=□

2

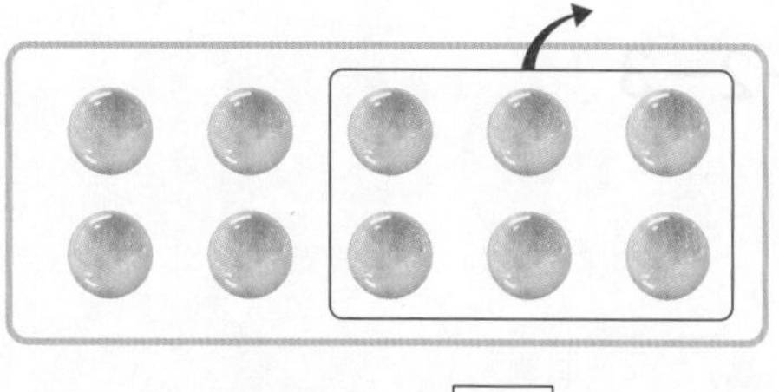

10−6=□

3

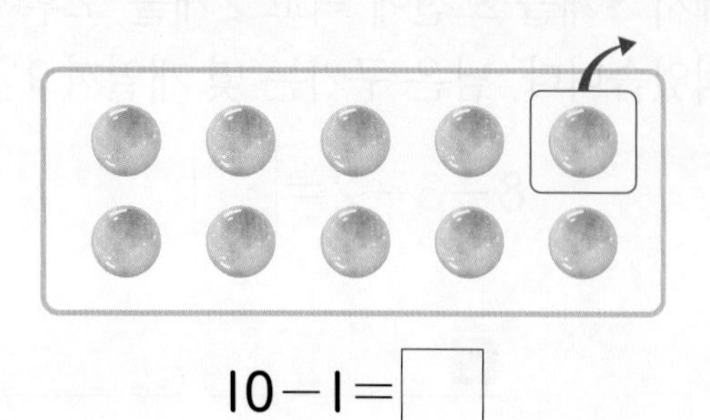

10−1=□

4

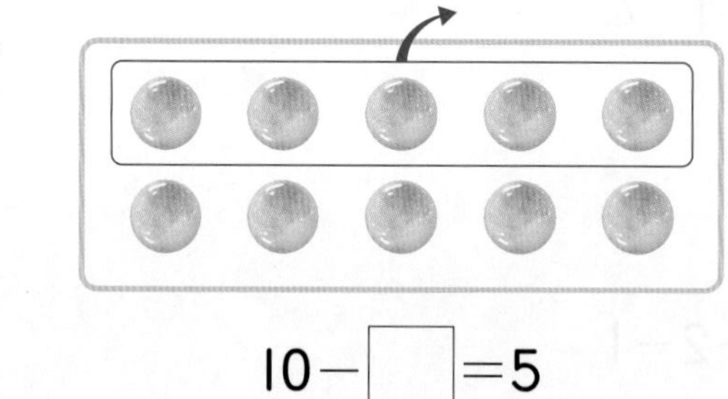

10−□=5

5

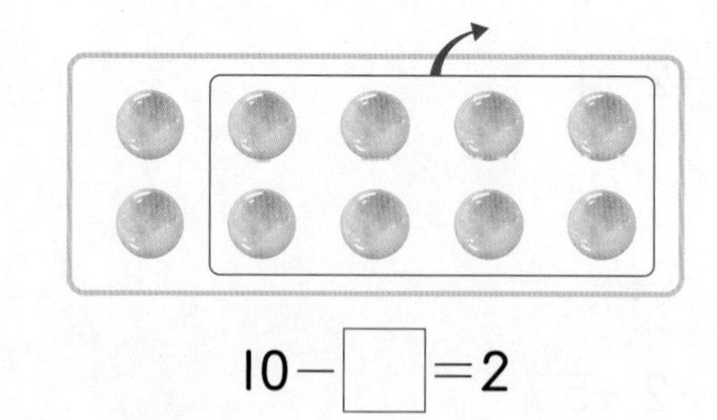

10−□=2

6

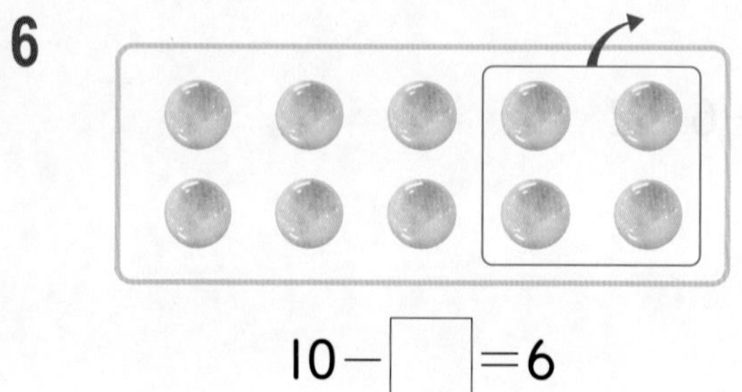

10−□=6

7

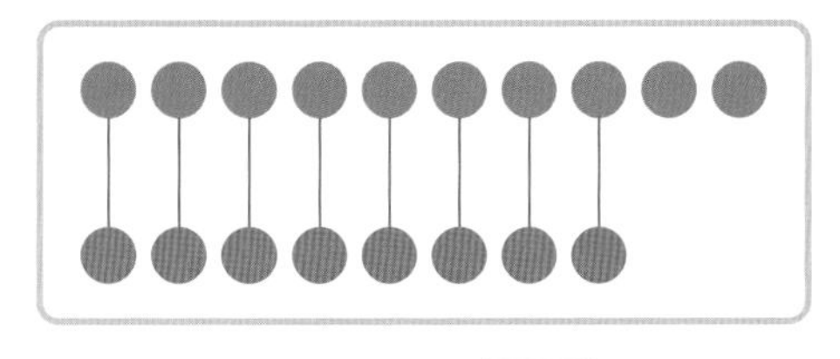

10−8=☐

8

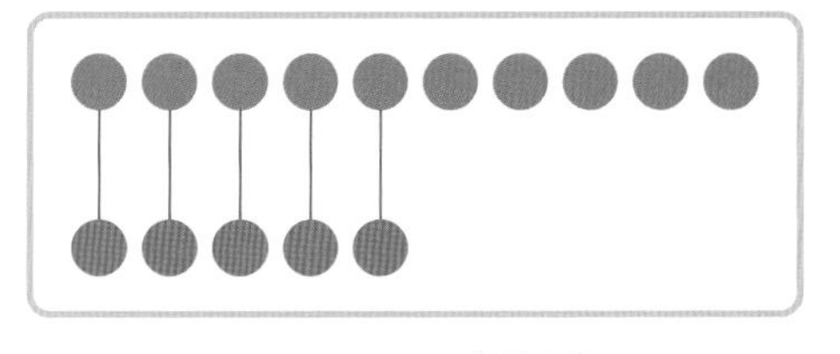

10−5=☐

9

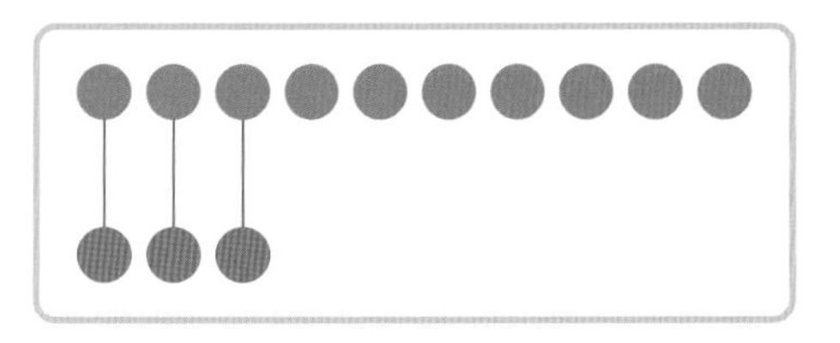

10−3=☐

10

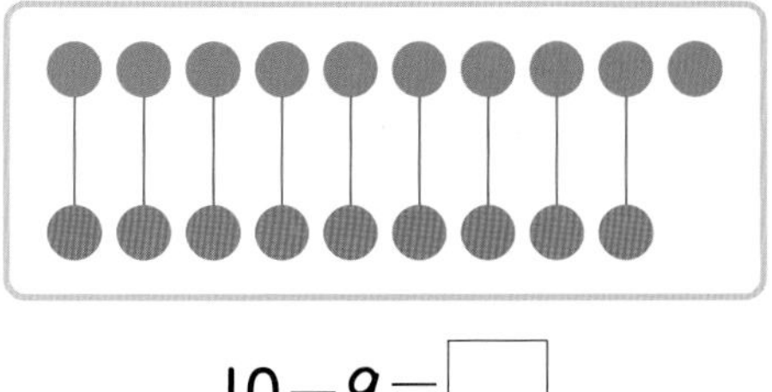

10−9=☐

11

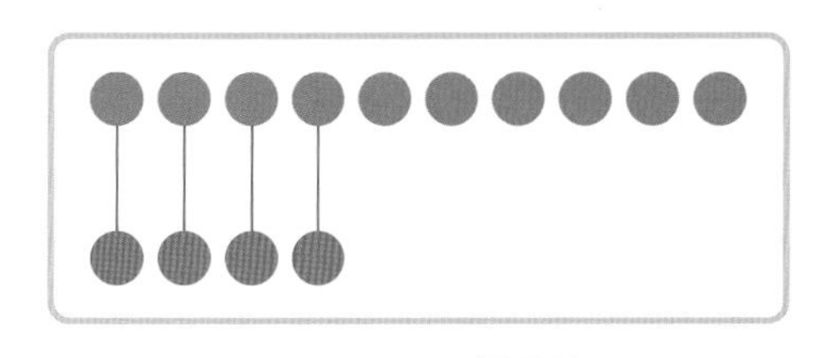

10−4=☐

12

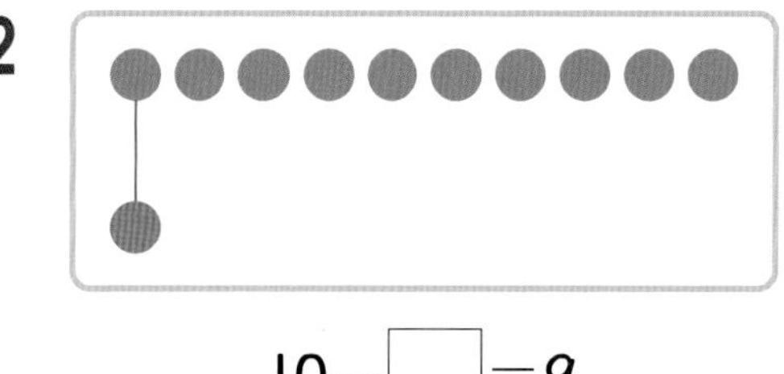

10−☐=9

13

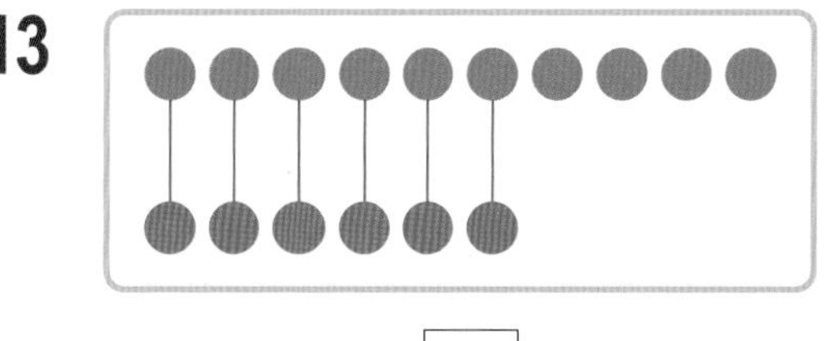

10−☐=4

14

10−☐=8

15

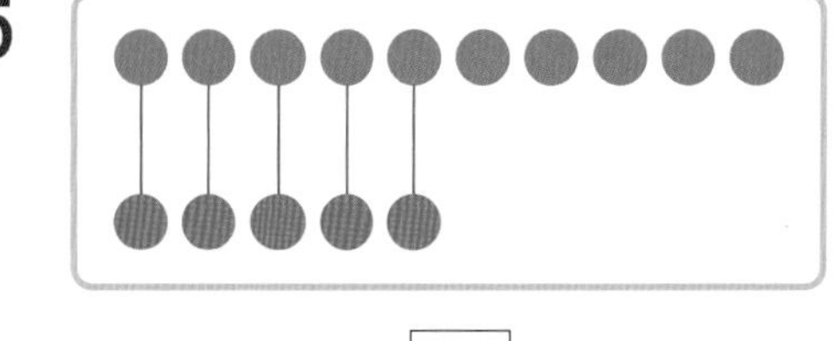

10−☐=5

16

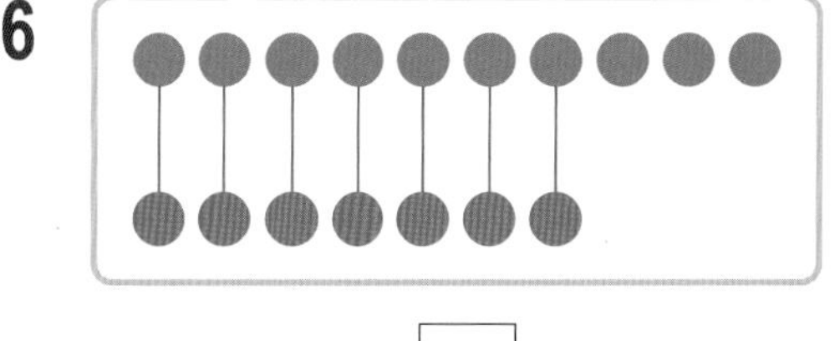

10−☐=3

❷ 10에서 빼기

□ 안에 알맞은 수를 써넣으세요.

1 $10-1=\square$

2 $10-\square=4$

3 $10-7=\square$

4 $10-5=\square$

5 $10-\square=1$

6 $10-\square=6$

7 $10-8=\square$

8 $10-\square=3$

9 $10-4=\square$

10 $10-\square=8$

11 $10-6=\square$

12 $10-9=\square$

13 $10-\square=7$

14 $10-\square=2$

15 $10-3=\square$

16 $10-\square=9$

계산을 하세요.

17 10－2

18 10－5

19 10－4

20 10－8

21 10－3

22 10－7

23 10－6

24 10－9

구슬 10개가 들어 있는 주머니에서 구슬을 꺼냈습니다. 보기 와 같이 뺄셈식을 만들어 보세요.

보기

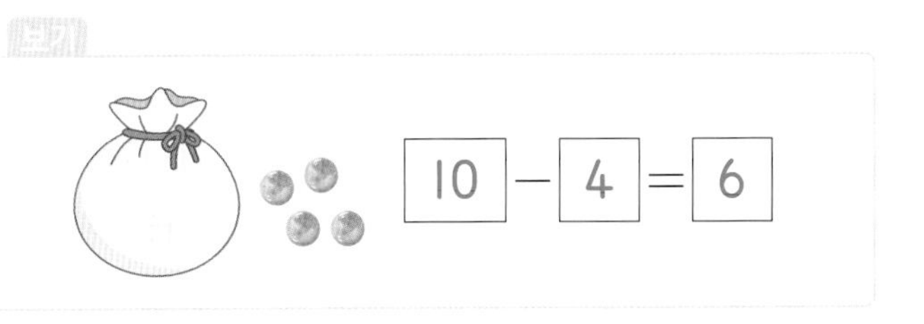

25

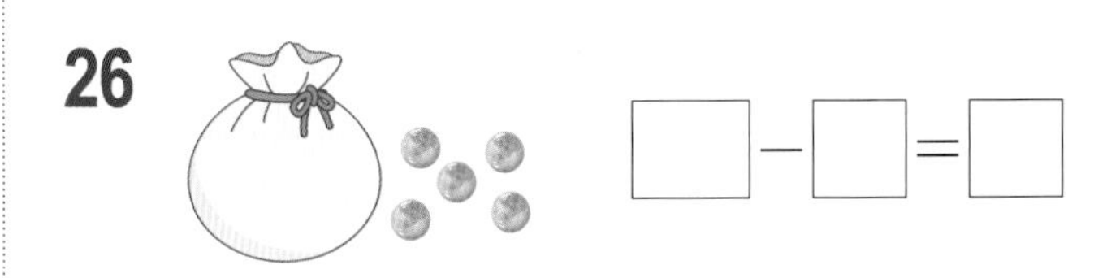

26

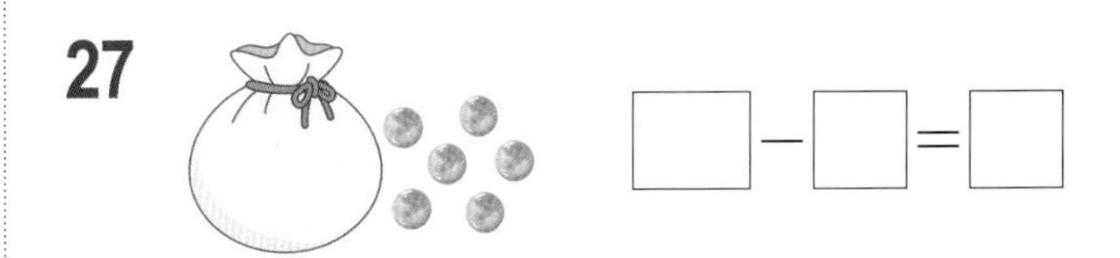

27

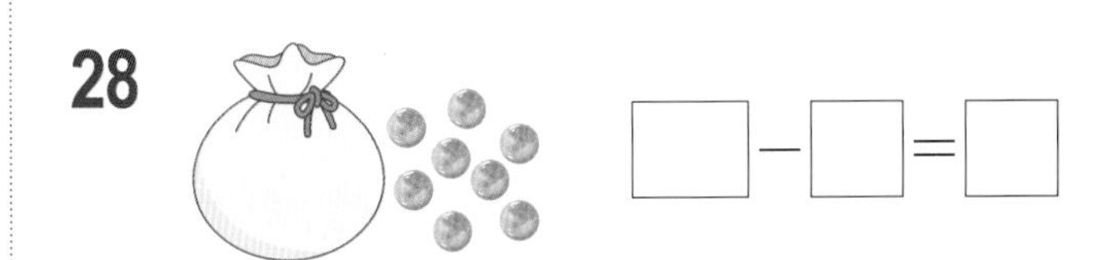

28 □－□＝□

실력 up

29 사탕이 10개 있습니다. 승하가 사탕을 1개 먹으면 몇 개가 남을까요?

10－1＝□

답

원리 ③ 받아내림이 있는 (십몇)－(몇)

● 받아내림이 있는 (십몇)－(몇)의 계산 방법

예 12－7의 계산

방법 1 7을 2와 5로 가르기를 하여 12에서 2를 빼고 남은 10에서 5를 빼면 5가 됩니다.

방법 2 12를 10과 2로 가르기를 하여 10에서 7을 빼고 남은 3과 2를 더하면 5가 됩니다.

방법 1 $12-7=10-5=5$ (7을 2, 5로 가르기)

방법 2 $12-7=3+2=5$ (12를 10, 2로 가르기)

뿡뿡이: 10에서 빼기를 이용하여 (십몇)－(몇)을 계산할 수 있어.

□ 안에 알맞은 수를 써넣으세요.

1 $14-8=\square-4=\square$ (8을 □, 4로 가르기)

2 $11-4=\square-3=\square$ (4를 □, 3으로 가르기)

3 $15-9=\square-4=\square$ (9를 □, 4로 가르기)

4 $16-8=\square-2=\square$ (8을 □, 2로 가르기)

5 $13-5=\square+3=\square$ (13을 □, 3으로 가르기)

6 $17-9=\square+7=\square$ (17을 □, 7로 가르기)

7 $14-5=\square+4=\square$ (14를 □, 4로 가르기)

8 $15-8=\square+5=\square$ (15를 □, 5로 가르기)

월 일	분	개
학습 날짜	학습 시간	맞힌 개수

9 $11-7=\square$ (□, 6)

10 $13-8=\square$ (□, 5)

11 $16-7=\square$ (□, 1)

12 $14-7=\square$ (□, 3)

13 $18-9=\square$ (□, 1)

14 $15-6=\square$ (□, 1)

15 $14-6=\square$ (□, 4)

16 $12-8=\square$ (□, 2)

17 $11-5=\square$ (□, 1)

18 $16-9=\square$ (□, 6)

19 $13-7=\square$ (□, 3)

20 $17-8=\square$ (□, 7)

연습 ❸ 받아내림이 있는 (십몇)−(몇)

계산을 하세요.

1 11−2

2 14−8

3 12−5

4 16−7

5 13−4

6 17−8

7 14−9

8 11−6

9 15−7

10 13−6

11 16−8

12 11−3

13 12−6

14 13−9

15 15−8

16 12−4

17 11−8

18 12−3

19 14−6

20 16−9

21 15−6

22 14−7

23 17−9

24 18−9

25 12−9

26 11−9

27 13−5

28 12−7

29 13−8

30 15−9

실력 up

31 과녁 맞히기 놀이를 하여 민주는 12점, 세호는 8점을 얻었습니다. 민주의 점수는 세호의 점수보다 몇 점 더 높을까요?

12−8=□

답 ______

:: 빈칸에 알맞은 수를 써넣으세요.

1
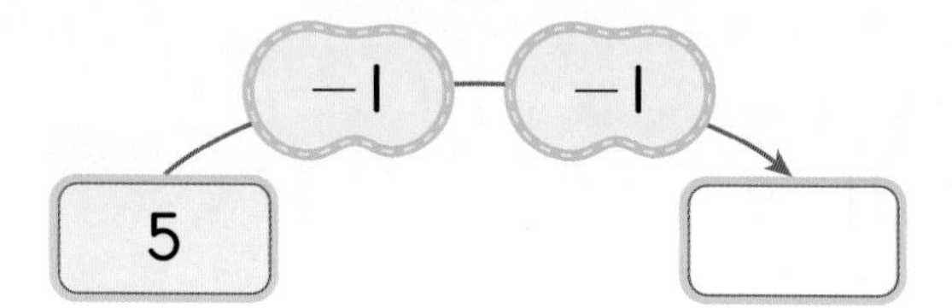

2
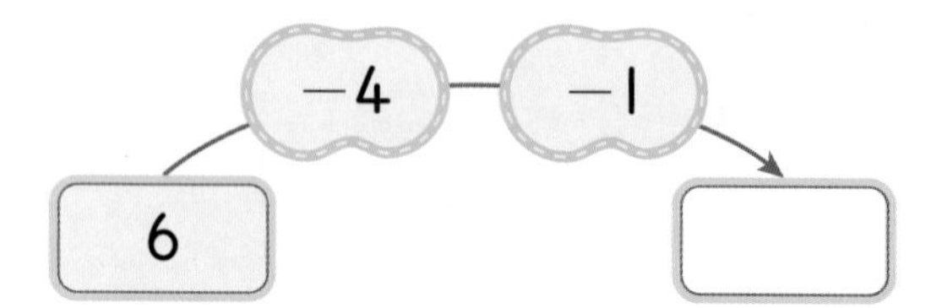

3
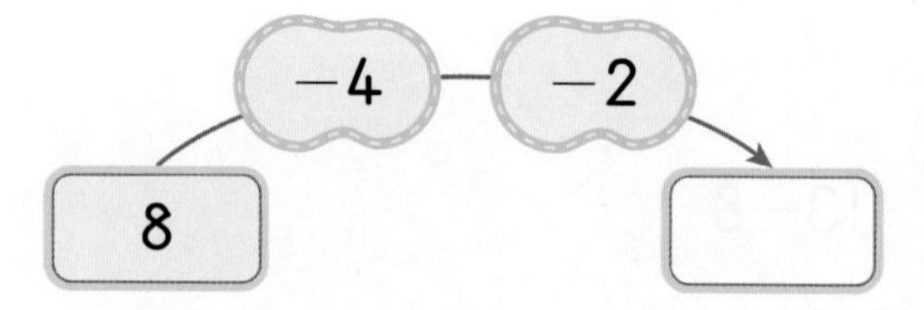

4
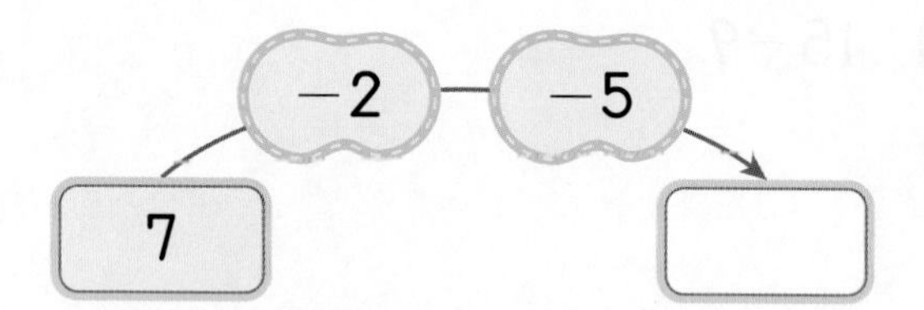

5
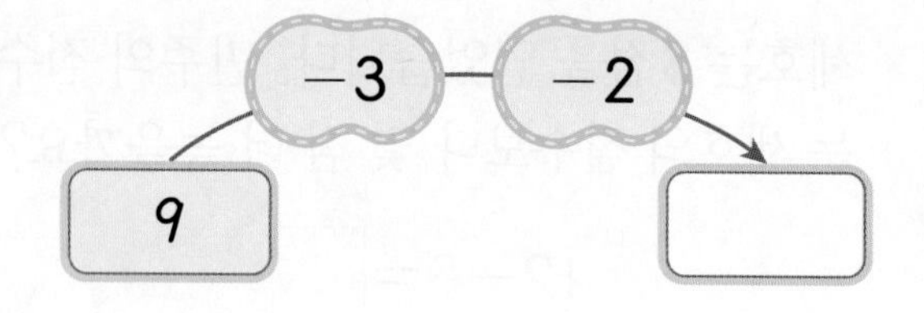

:: 빈 곳에 알맞은 수를 써넣으세요.

6
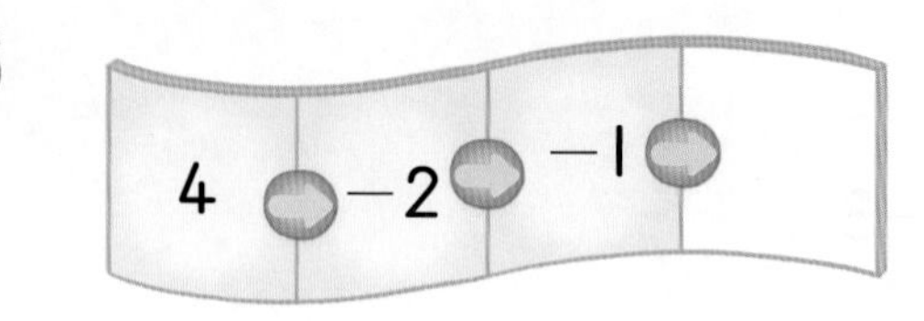

7
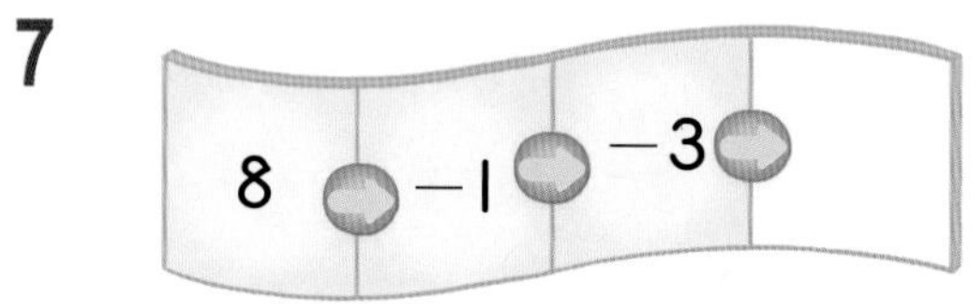

:: □ 안에 알맞은 수를 써넣으세요.

8
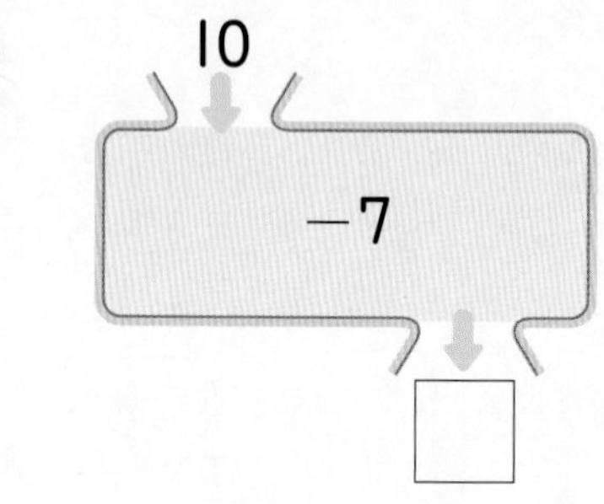

9
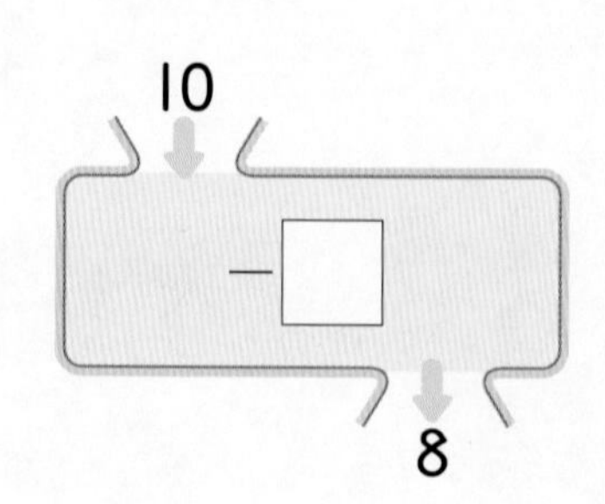

정답 ➔ 23쪽

월 일	분	개
학습 날짜	학습 시간	맞힌 개수

:: 가운데 수에서 바깥의 수를 빼서 빈 곳에 써넣으세요.

10

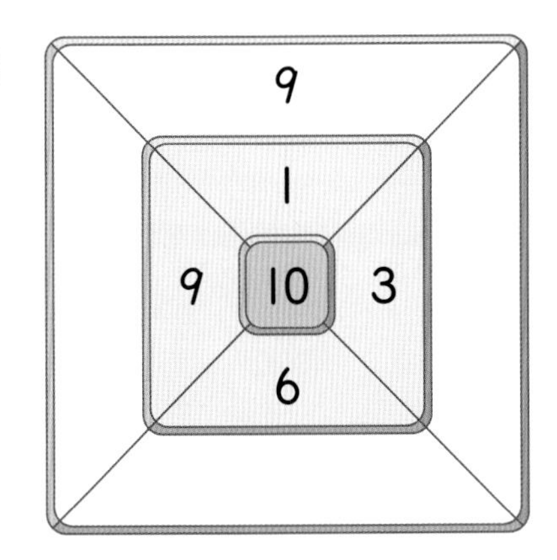

11

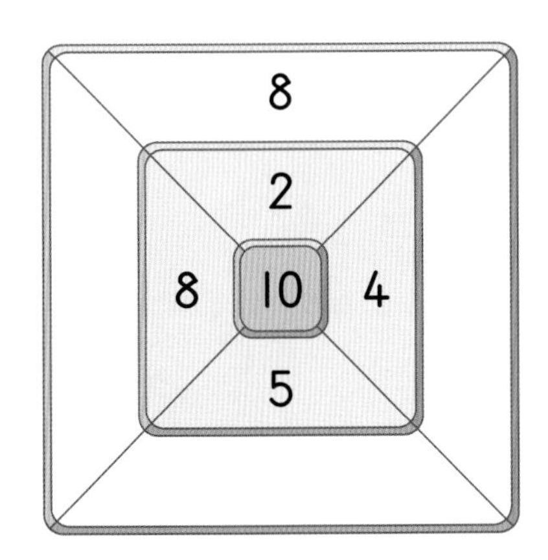

:: 빈 곳에 알맞은 수를 써넣으세요.

12

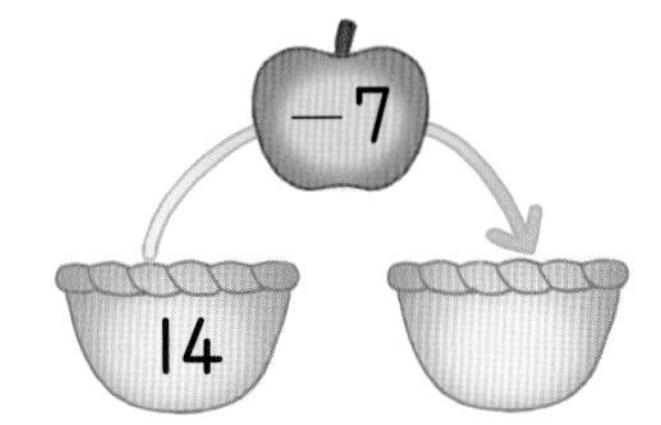

13

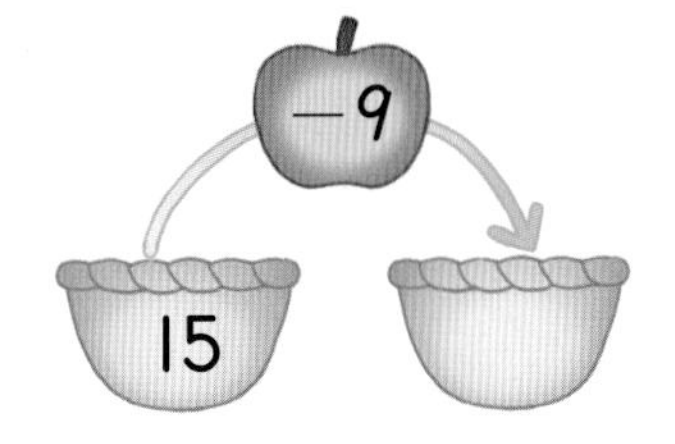

:: 빈칸에 알맞은 수를 써넣으세요.

14

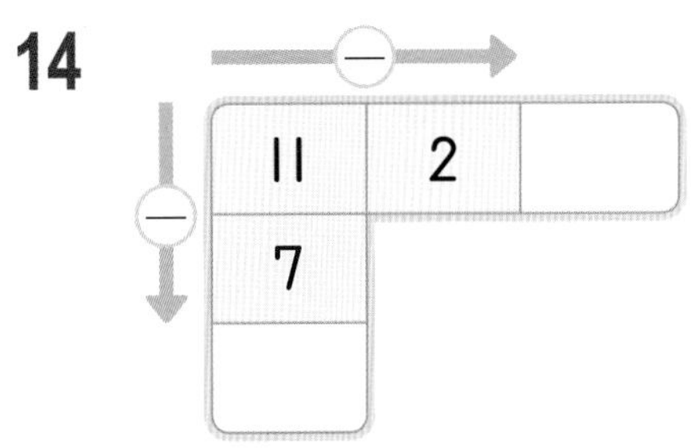

15

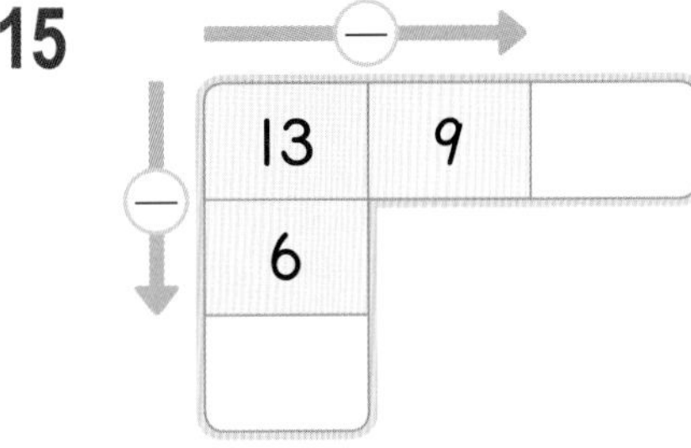

16

(−) →

16	7	
8		

(−) ↓

17

(−) →

12	7	
4		

(−) ↓

평가 5. 뺄셈 (2)

계산을 하세요.

1 $5-2-2$

2 $6-1-2$

3 $8-3-1$

4 $7-4-3$

5 $9-2-4$

6 $7-1-2$

7 $9-4-2$

□ 안에 알맞은 수를 써넣으세요.

8 $10-4=\square$

9 $10-\square=3$

10 $10-8=\square$

계산을 하세요.

11 $10-6$

12 $10-5$

13 $10-9$

14 11－5

15 13－8

16 14－6

17 12－8

18 15－7

19 16－9

20 17－8

빈칸에 알맞은 수를 써넣으세요.

21

4	－1	－1	

22

6	－3	－2	

23

7	－2	－2	

24

8	－4	－2	

25

5	－4	－1	

26

8	－3	－2	

27

9	－4	－4	

정답 ➔ 24쪽

:: 빈칸에 알맞은 수를 써넣으세요.

28

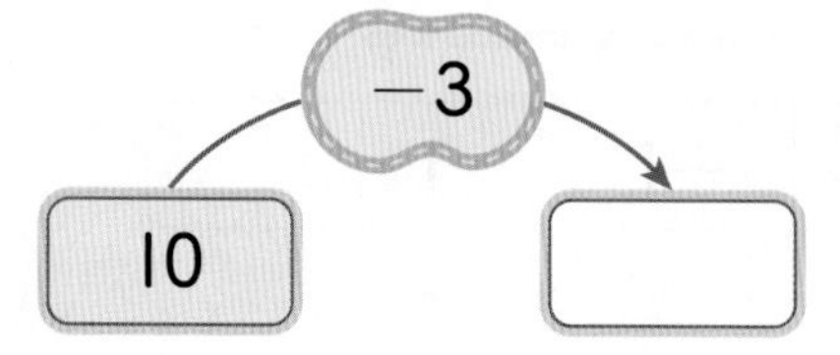

29

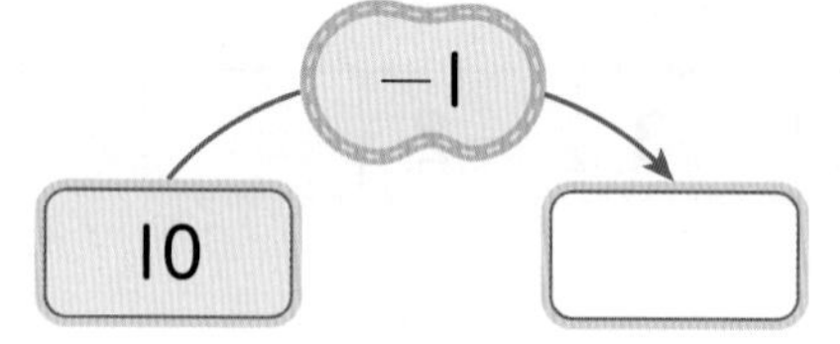

30

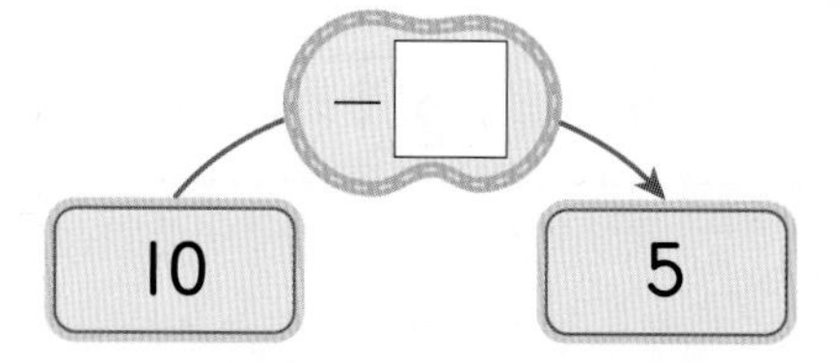

:: 빈 곳에 두 수의 차를 써넣으세요.

31

32

33

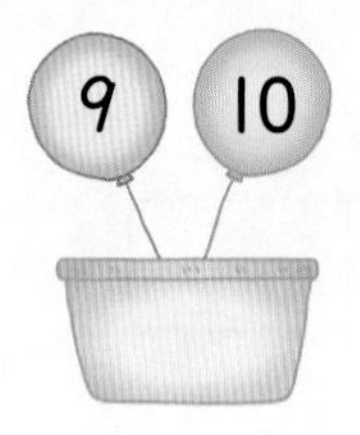

:: 빈칸에 알맞은 수를 써넣으세요.

34

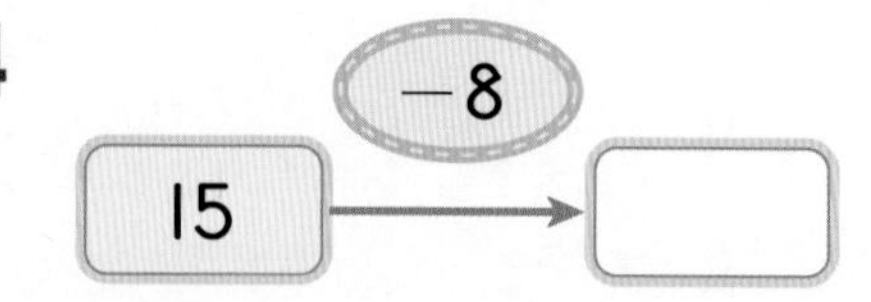

35

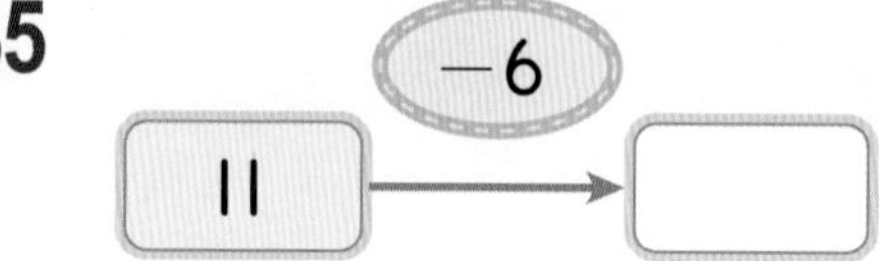

36

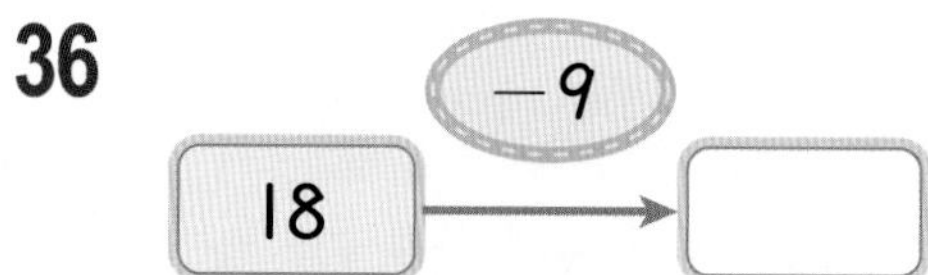

:: 빈칸에 알맞은 수를 써넣으세요.

37

−	3	5	6
12			

38

−	4	5	7
13			

39

−	5	8	9
14			

바른 계산, **빠른** 연산!

창력

동아출판

차례

1 100까지의 수

8~9쪽 원리 ❶

1 7 / 70
2 8 / 80
3 9 / 90
4 6, 3 / 63
5 7, 9 / 79
6 9, 4 / 94
7 6 / 60
8 5, 7 / 57
9 6, 8 / 68
10 9, 2 / 92
11 8, 3 / 83
12 7, 5 / 75
13 8, 7 / 87
14 9, 6 / 96

1 10개씩 묶음이 7개이므로 70을 나타냅니다.
2 10개씩 묶음이 8개이므로 80을 나타냅니다.
3 10개씩 묶음이 9개이므로 90을 나타냅니다.

10~11쪽 연습 ❶

1 70 / 칠십, 일흔
2 80 / 팔십, 여든
3 90 / 구십, 아흔
4 60 / 육십, 예순
5 73 / 칠십삼, 일흔셋
6 67 / 육십칠, 예순일곱
7 85 / 팔십오, 여든다섯
8 98 / 구십팔, 아흔여덟
9 오십이, 쉰둘
10 육십일, 예순하나
11 팔십사, 여든넷
12 칠십칠, 일흔일곱
13 구십오, 아흔다섯
14 팔십육, 여든여섯
15 칠십팔, 일흔여덟
16 구십삼, 아흔셋
17 72
18 66
19 81
20 97
21 74
22 89
23 65 / 육십오, 예순다섯

1 10개씩 묶음 7개인 수는 70이고 칠십, 일흔이라고 읽습니다.
2 10개씩 묶음 8개인 수는 80이고 팔십, 여든이라고 읽습니다.
3 10개씩 묶음 9개인 수는 90이고 구십, 아흔이라고 읽습니다.
4 10개씩 묶음 6개인 수는 60이고 육십, 예순이라고 읽습니다.
5 10개씩 묶음 7개와 낱개 3개인 수는 73이고 칠십삼, 일흔셋이라고 읽습니다.
6 10개씩 묶음 6개와 낱개 7개인 수는 67이고 육십칠, 예순일곱이라고 읽습니다.
7 10개씩 묶음 8개와 낱개 5개인 수는 85이고 팔십오, 여든다섯이라고 읽습니다.
8 10개씩 묶음 9개와 낱개 8개인 수는 98이고 구십팔, 아흔여덟이라고 읽습니다.
23 10개씩 묶음 6개와 낱개 5개인 수는 65이고 육십오, 예순다섯이라고 읽습니다.

12~13쪽 원리 ❷

1 62, 63
2 86, 87
3 67, 68, 69
4 79, 80
5 69, 70, 71
6 74, 75
7 58, 59, 60
8 99, 100
9 88, 89, 90
10 70, 71, 72
11

12

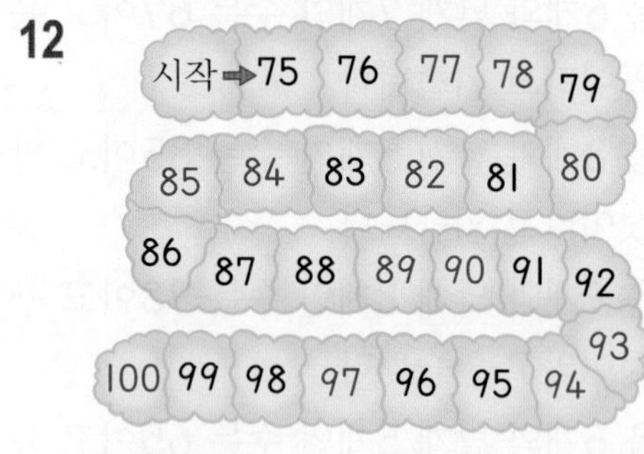

13

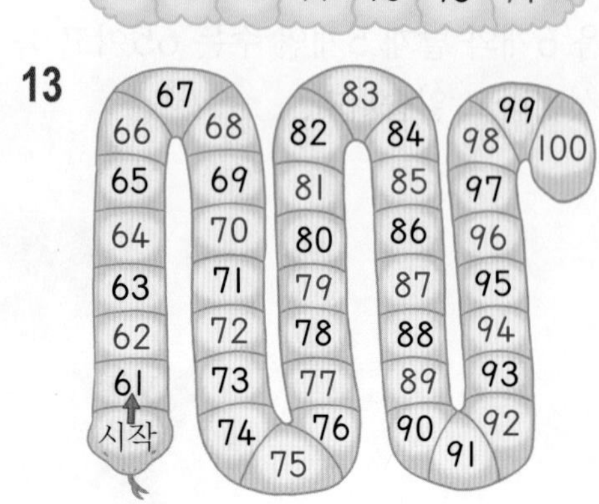

14

15

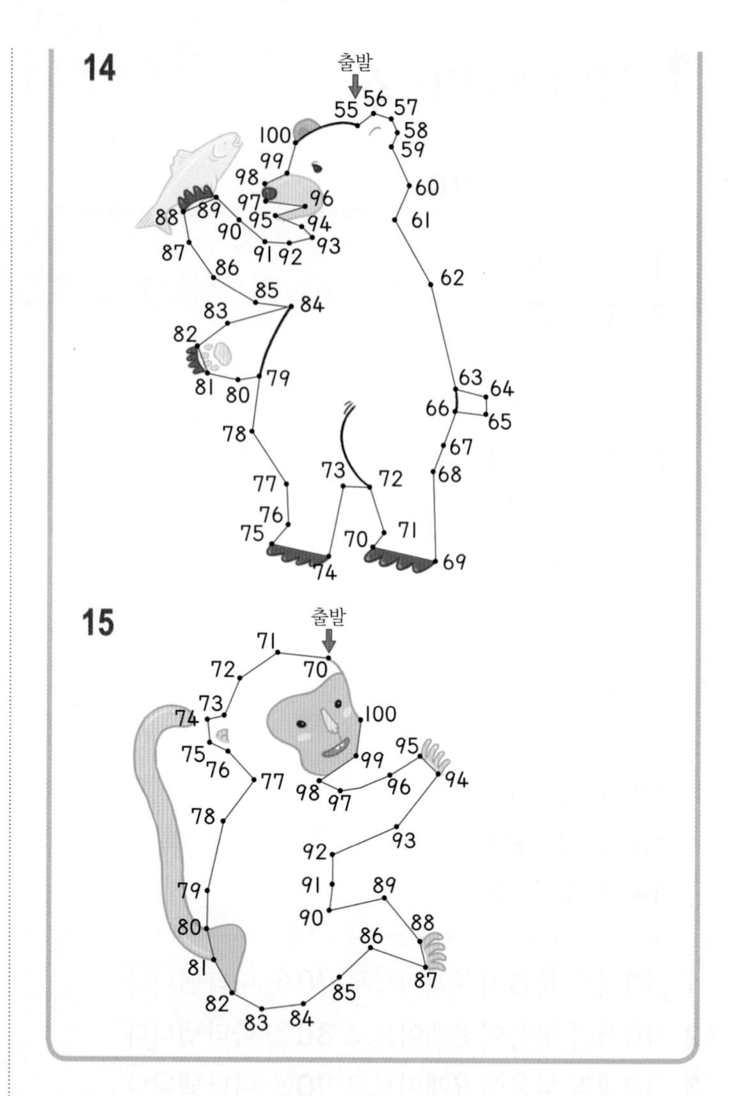

14~15쪽 연습 ❷

1 53, 55
2 60, 62
3 71, 73
4 75, 77
5 82, 84
6 91, 93
7 59, 61
8 67, 69
9 78, 80
10 86, 88
11 89, 91
12 98, 100
13 51, 54
14 70, 71, 73
15 65, 66, 67
16 70, 73, 74
17 86, 89
18 59, 60, 61
19 80, 81, 84
20 90, 91, 92
21 67, 69, 70, 72
22 97, 98, 100
23 80, 82, 83, 85
24 88, 89, 91, 93
25 95, 97, 99, 100
26 80

16~17쪽 **원리 ❸**

1 >, >
2 <, <
3 <, <
4 >, >
5 >, >
6 <, <
7 <, <
8 >, >
9 >, >
10 <, <
11 < / 작습니다, 큽니다
12 > / 큽니다, 작습니다
13 > / 큽니다, 작습니다
14 < / 작습니다, 큽니다
15 < / 작습니다, 큽니다
16 < / 작습니다, 큽니다
17 < / 작습니다, 큽니다
18 > / 큽니다, 작습니다
19 > / 큽니다, 작습니다
20 < / 작습니다, 큽니다

18~19쪽 **연습 ❸**

1 >
2 >
3 <
4 >
5 <
6 <
7 >
8 <
9 >
10 <
11 <
12 <
13 <
14 >
15 >
16 <
17 80
18 61
19 81
20 87
21 96
22 85
23 92
24 87
25 58
26 76
27 61
28 67
29 74
30 80
31 지훈

20~21쪽 **원리 ❹**

1 홀수
2 짝수
3 홀수
4 짝수
5 홀수
6 홀수
7 홀수
8 짝수
9 홀수
10 짝수
11 짝수
12 짝수
13 짝수
14 홀수
15 홀수
16 짝수

22~23쪽 **연습 ❹**

1 홀수
2 짝수
3 짝수
4 홀수
5 짝수
6 홀수
7 짝수
8 홀수
9 짝수
10 홀수
11 짝수
12 짝수
13 14, 10
14 32
15 38, 40
16 26
17 42
18 52, 12
19 74, 82
20 91, 83
21 27
22 63, 75
23 43
24 85
25 50, 52, 54, 56, 58

19 ■▲에서 ▲가 0, 2, 4, 6, 8이면 짝수입니다.
짝수: 74, 82

24 ■▲에서 ▲가 1, 3, 5, 7, 9이면 홀수입니다.
홀수: 85

25 10개씩 묶음이 5개 ➡ 5■
5■가 짝수이려면 ■가 0, 2, 4, 6, 8이어야 하므로 민지가 물어보는 수는 50, 52, 54, 56, 58입니다.

24~25쪽 적용

1 58 / 오십팔, 쉰여덟
2 76 / 칠십육, 일흔여섯
3 6, 4 / 육십사, 예순넷
4 9, 1 / 구십일, 아흔하나
5 8, 2 / 82 / 여든둘
6 68, 70
7 94, 96
8 79, 81
9 70, 72
10 98, 100
11 70, 62
12 71
13 80
14 90, 88
15 80, 96
16 97

17

11(△)	12(○)	13(△)	14(○)	15(△)
16(○)	17(△)	18(○)	19(△)	20(○)

18

34(○)	35(△)	36(○)	37(△)	38(○)
39(△)	40(○)	41(△)	42(○)	43(△)

19

50(○)	51(△)	52(○)	53(△)	54(○)
55(△)	56(○)	57(△)	58(○)	59(△)

20

63(△)	64(○)	65(△)	66(○)	67(△)
68(○)	69(△)	70(○)	71(△)	72(○)

21

78(○)	79(△)	80(○)	81(△)	82(○)
83(△)	84(○)	85(△)	86(○)	87(△)

22

90(○)	91(△)	92(○)	93(△)	94(○)
95(△)	96(○)	97(△)	98(○)	99(△)

4 91은 10개씩 묶음 9개와 낱개 1개인 수이고 구십일, 아흔하나라고 읽습니다.

5 팔십이는 82이고 여든둘이라고도 읽습니다.
82는 10개씩 묶음 8개와 낱개 2개인 수입니다.

6 ……－67－68－69－70－71－……이므로
69보다 1만큼 더 작은 수는 68, 1만큼 더 큰 수는 70입니다.

7 ……－93－94－95－96－97－……이므로
95보다 1만큼 더 작은 수는 94, 1만큼 더 큰 수는 96입니다.

8 ……－78－79－80－81－82－……이므로
80보다 1만큼 더 작은 수는 79, 1만큼 더 큰 수는 81입니다.

9 ……－69－70－71－72－73－……이므로
71보다 1만큼 더 작은 수는 70, 1만큼 더 큰 수는 72입니다.

10 ……－97－98－99－100－……이므로
99보다 1만큼 더 작은 수는 98, 1만큼 더 큰 수는 100입니다.

11 10개씩 묶음의 수를 비교하고, 10개씩 묶음의 수가 같으면 낱개의 수를 비교합니다.
$59<70$, $59<62$, $59>50$

12 $70>68$, $70>56$, $70<71$

13 $63<80$, $63>61$, $63>58$

14 $87>83$, $87<90$, $87<88$

15 $79<80$, $79>75$, $79<96$

16 $92>91$, $92>85$, $92<97$

17 짝수: 12, 14, 16, 18, 20
홀수: 11, 13, 15, 17, 19

18 짝수: 34, 36, 38, 40, 42
홀수: 35, 37, 39, 41, 43

19 짝수: 50, 52, 54, 56, 58
홀수: 51, 53, 55, 57, 59

20 짝수: 64, 66, 68, 70, 72
홀수: 63, 65, 67, 69, 71

21 짝수: 78, 80, 82, 84, 86
홀수: 79, 81, 83, 85, 87

22 짝수: 90, 92, 94, 96, 98
홀수: 91, 93, 95, 97, 99

26~28쪽 **평가**

1 69 / 육십구, 예순아홉
2 84 / 팔십사, 여든넷
3 97 / 구십칠, 아흔일곱
4 팔십오, 여든다섯
5 73, 일흔셋
6 58, 60
7 74, 76
8 97, 99
9 69, 70, 72
10 77, 79, 80
11 96, 98, 100
12 $<$
13 $>$
14 $>$
15 $<$
16 74
17 81
18 97
19 57
20 68
21 73
22 짝수
23 홀수
24 홀수
25 홀수
26 62 / 육십이, 예순둘
27 7, 9 / 칠십구, 일흔아홉
28 8, 8 / 88 / 여든여덟
29 92, 94
30 69, 71
31 88, 90
32 91, 85
33 75, 69
34 81
35

26	27	28	29	30
31	32	33	34	35

36

41	42	43	44	45
46	47	48	49	50

37

73	74	75	76	77
78	79	80	81	82

26 10개씩 묶음 6개와 낱개 2개인 수는 62이고 육십이, 예순둘이라고 읽습니다.

27 79는 10개씩 묶음 7개와 낱개 9개인 수이고 칠십구, 일흔아홉이라고 읽습니다.

28 팔십팔은 88이고 여든여덟이라고도 읽습니다. 88은 10개씩 묶음 8개와 낱개 8개인 수입니다.

29 ……—91—92—93—94—95—……이므로
93보다 1만큼 더 작은 수는 92, 1만큼 더 큰 수는 94입니다.

30 ……—68—69—70—71—72—……이므로
70보다 1만큼 더 작은 수는 69, 1만큼 더 큰 수는 71입니다.

31 ……—87—88—89—90—91—……이므로
89보다 1만큼 더 작은 수는 88, 1만큼 더 큰 수는 90입니다.

32 10개씩 묶음의 수를 비교하고, 10개씩 묶음의 수가 같으면 낱개의 수를 비교합니다.
$84<91$, $84>79$, $84<85$

33 $67<75$, $67<69$, $67>66$

34 $78>73$, $78>69$, $78<81$

35 0, 2, 4, 6, 8로 끝나면 짝수이고 1, 3, 5, 7, 9로 끝나면 홀수입니다.
짝수: 26, 28, 30, 32, 34
홀수: 27, 29, 31, 33, 35

36 짝수: 42, 44, 46, 48, 50
홀수: 41, 43, 45, 47, 49

37 짝수: 74, 76, 78, 80, 82
홀수: 73, 75, 77, 79, 81

2 덧셈 (1)

30~31쪽 원리 ❶

1	6 / 1, 6	11	26
2	1 / 2, 1	12	75
3	4 / 3, 4	13	68
4	2 / 5, 2	14	94
5	4 / 1, 4	15	37
6	5 / 6, 5	16	15
7	7 / 4, 7	17	56
8	8 / 2, 8	18	98
9	12	19	74
10	43	20	81

32~33쪽 연습 ❶

1	32	14	42
2	48	15	67
3	53	16	36
4	61	17	54
5	87	18	78
6	76	19	27
7	29	20	35
8	17	21	59
9	63	22	73
10	58	23	92
11	85	24	86
12	71	25	46 / 46개
13	13		

23 $\begin{array}{r} 2 \\ +\,90 \\ \hline 92 \end{array}$

24 $\begin{array}{r} 6 \\ +\,80 \\ \hline 86 \end{array}$

34~35쪽 적용 ❶

1	19	9	84
2	51	10	72
3	82	11	57
4	93	12	39
5	24	13	18
6	45	14	49
7	69	15	62
8	38	16	97

6 $5+40=45$
7 $9+60=69$
8 $8+30=38$
9 $80+4=84$
10 $70+2=72$
11 $50+7=57$
12 $30+9=39$
13 $8+10=18$
14 $9+40=49$
15 $2+60=62$
16 $7+90=97$

36~37쪽 원리 ❷

1	7 / 1, 7	11	77
2	9 / 3, 9	12	48
3	5 / 7, 5	13	86
4	9 / 5, 9	14	97
5	8 / 4, 8	15	49
6	6 / 6, 6	16	68
7	6 / 9, 6	17	39
8	7 / 8, 7	18	19
9	27	19	54
10	55	20	68

38~39쪽 연습 ❷

1 19
2 39
3 58
4 69
5 96
6 89
7 18
8 27
9 69
10 49
11 77
12 89
13 19
14 25
15 47
16 69
17 38
18 96
19 58
20 38
21 57
22 98
23 76
24 87
25 47 / 47개

40~41쪽 적용 ❷

1 19
2 38
3 29
4 88
5 37
6 58
7 28
8 79
9 16, 18
10 45, 47
11 67, 69
12 76, 79
13 29, 37
14 18, 37
15 28, 59
16 86, 98

8 $4+75=79$
9 $14+2=16$, $14+4=18$
10 $42+3=45$, $42+5=47$
11 $65+2=67$, $65+4=69$
12 $73+3=76$, $73+6=79$
13 $6+23=29$, $6+31=37$
14 $3+15=18$, $3+34=37$
15 $4+24=28$, $4+55=59$
16 $2+84=86$, $2+96=98$

42~43쪽 원리 ❸

1 0 / 5, 0
2 0 / 8, 0
3 0 / 6, 0
4 0 / 7, 0
5 0 / 8, 0
6 0 / 9, 0
7 0 / 8, 0
8 0 / 9, 0
9 80
10 70
11 70
12 80
13 90
14 70
15 90
16 90
17 60
18 80
19 60
20 90

44~45쪽 연습 ❸

1 60
2 40
3 50
4 90
5 30
6 70
7 60
8 70
9 80
10 80
11 70
12 90
13 20
14 40
15 30
16 80
17 40
18 60
19 50
20 80
21 80
22 90
23 90
24 80
25 60 / 60개

23 $\begin{array}{r} 60 \\ +\ 30 \\ \hline 90 \end{array}$

24 $\begin{array}{r} 70 \\ +\ 10 \\ \hline 80 \end{array}$

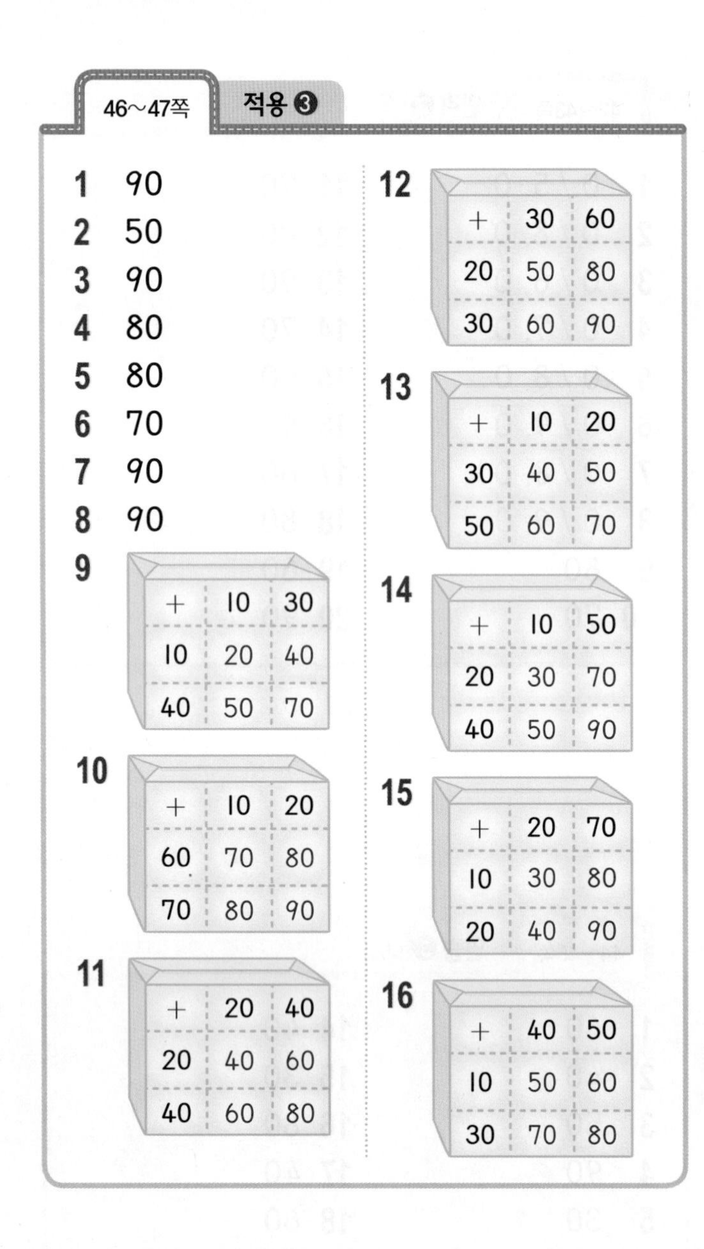

46~47쪽 적용 ❸

1 90
2 50
3 90
4 80
5 80
6 70
7 90
8 90

9

+	10	30
10	20	40
40	50	70

10

+	10	20
60	70	80
70	80	90

11

+	20	40
20	40	60
40	60	80

12

+	30	60
20	50	80
30	60	90

13

+	10	20
30	40	50
50	60	70

14

+	10	50
20	30	70
40	50	90

15

+	20	70
10	30	80
20	40	90

16

+	40	50
10	50	60
30	70	80

48~49쪽 원리 ❹

1 8 / 4, 8
2 8 / 4, 8
3 6 / 5, 6
4 9 / 5, 9
5 5 / 5, 5
6 5 / 9, 5
7 8 / 8, 8
8 9 / 8, 9
9 28
10 68
11 79
12 57
13 89
14 75
15 84
16 96
17 96
18 78
19 96
20 87

50~51쪽 연습 ❹

1 22
2 57
3 67
4 59
5 97
6 59
7 59
8 85
9 85
10 86
11 79
12 65
13 28
14 37
15 68
16 47
17 68
18 76
19 97
20 89
21 94
22 67
23 85
24 69
25 75 / 75번

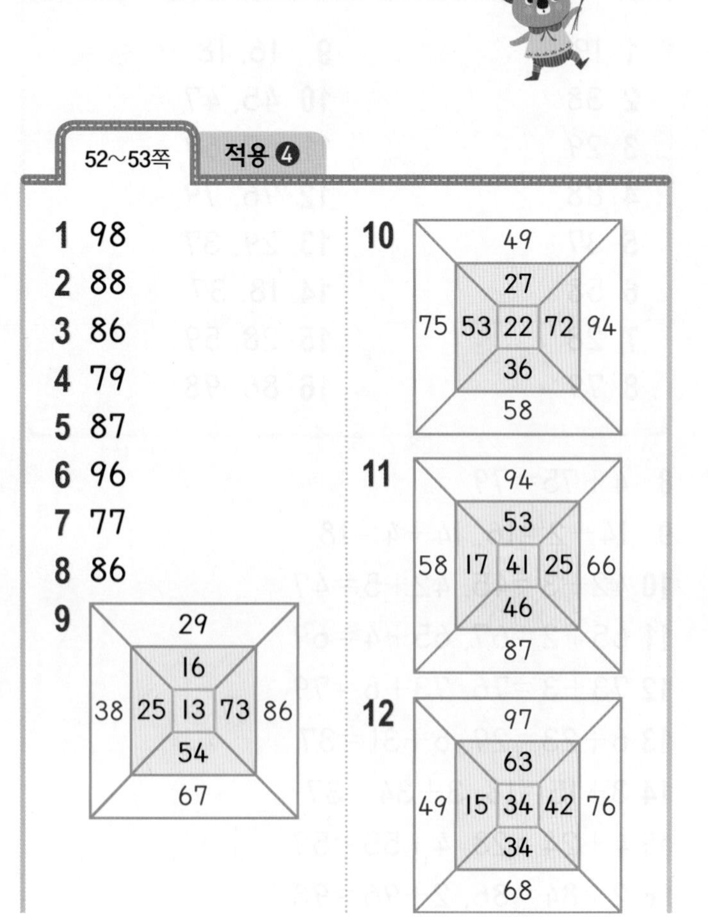

52~53쪽 적용 ❹

1 98
2 88
3 86
4 79
5 87
6 96
7 77
8 86

9
29
16
38 25 13 73 86
54
67

10
49
27
75 53 22 72 94
36
58

11
94
53
58 17 41 25 66
46
87

12
97
63
49 15 34 42 76
34
68

13				
		75		
		12		
89	26	63	24	87
		15		
		78		

14				
		84		
		31		
99	46	53	42	95
		34		
		87		

13 63+12=75, 63+24=87, 63+15=78, 63+26=89

14 53+31=84, 53+42=95, 53+34=87, 53+46=99

54~55쪽 원리 ❺

1 50, 8, 58, 50, 8
2 80, 7, 87, 80, 7
3 70, 4, 74, 70, 4
4 40, 7, 47, 40, 7
5 70, 6, 76, 70, 6
6 90, 3, 93, 90, 3
7 80, 9, 89, 80, 9
8 90, 8, 98, 90, 8
9 6, 27, 67
10 7, 19, 49
11 5, 78, 88
12 4, 26, 76
13 4, 49, 79
14 2, 28, 98
15 40, 53, 56
16 30, 54, 58
17 10, 31, 38
18 80, 92, 97
19 40, 83, 89
20 30, 95, 97

56~57쪽 연습 ❺

1 16+13
=10+10+6+3
=20+9
=29

2 43+25
=40+20+3+5
=60+8
=68

3 11+67
=10+60+1+7
=70+8
=78

4 24+45
=20+40+4+5
=60+9
=69

5 32+36
=30+30+2+6
=60+8
=68

6 41+53
=40+50+1+3
=90+4
=94

7 41+27
=41+7+20
=48+20
=68

8 18+51
=18+1+50
=19+50
=69

9 33+46
=33+6+40
=39+40
=79

10 26+53
=26+3+50
=29+50
=79

11 63+24
=63+4+20
=67+20
=87

12 31+57
=31+7+50
=38+50
=88

13 12+17
=12+10+7
=22+7
=29

14 23+73
=23+70+3
=93+3
=96

15 36+41
=36+40+1
=76+1
=77

16 54+42
=54+40+2
=94+2
=96

17 64+21
=64+20+1
=84+1
=85

18 13+74
=13+70+4
=83+4
=87

19 45+42
=45+40+2
=85+2
=87

20 26+33
=26+30+3
=56+3
=59

21 53+36
=53+30+6
=83+6
=89

22 82+15
=82+10+5
=92+5
=97

23 26+61
=26+60+1
=86+1
=87

24 30, 64, 66 / 66개

23 26에 60을 더한 수에 1을 더하여 계산합니다.

24 34에 30을 더한 수에 2를 더하여 계산합니다.

58~59쪽 적용 ❺

1 방법1 예 $35+13=30+10+5+3$
$=40+8=48$
방법2 예 $35+13=35+3+10$
$=38+10=48$

2 방법1 예 $24+21=20+20+4+1$
$=40+5=45$
방법2 예 $24+21=24+1+20$
$=25+20=45$

3 방법1 예 $32+54=30+50+2+4$
$=80+6=86$
방법2 예 $32+54=32+4+50$
$=36+50=86$

4 방법1 예 $21+74=20+70+1+4$
$=90+5=95$
방법2 예 $21+74=21+4+70$
$=25+70=95$

5 방법1 예 $17+81=10+80+7+1$
$=90+8=98$
방법2 예 $17+81=17+1+80$
$=18+80=98$

6 방법1 예 $43+55=40+50+3+5$
$=90+8=98$
방법2 예 $43+55=43+5+50$
$=48+50=98$

7 방법1 예 $56+12=50+10+6+2$
$=60+8=68$
방법2 예 $56+12=56+10+2$
$=66+2=68$

8 방법1 예 $35+22=30+20+5+2$
$=50+7=57$
방법2 예 $35+22=35+20+2$
$=55+2=57$

9 방법1 예 $63+34=60+30+3+4$
$=90+7=97$
방법2 예 $63+34=63+30+4$
$=93+4=97$

10 방법1 예 $15+62=10+60+5+2$
$=70+7=77$
방법2 예 $15+62=15+60+2$
$=75+2=77$

11 방법1 예 $41+48=40+40+1+8$
$=80+9=89$
방법2 예 $41+48=41+40+8$
$=81+8=89$

12 방법1 예 $21+78=20+70+1+8$
$=90+9=99$
방법2 예 $21+78=21+70+8$
$=91+8=99$

60~62쪽 평가

1 64
2 25
3 83
4 59
5 67
6 85
7 70
8 90
9 80
10 58
11 87
12 87
13 95
14 89
15 26
16 49
17 90
18 89
19 66

20 34+64=30+60+4+4
=90+8=98

21 47+12=40+10+7+2
=50+9=59

22 28+51=20+50+8+1
=70+9=79

23 24+52=24+50+2
=74+2=76

24 65+14=65+10+4
=75+4=79

25 54+43=54+40+3
=94+3=97

26 33

27 79

28 28

29 48

30

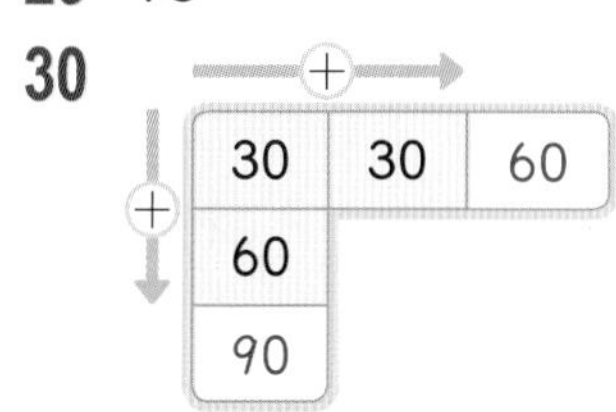

31 49, 58, 76

32 58, 66, 79

33 방법1 예 23+65=20+60+3+5
=80+8=88

방법2 예 23+65=23+5+60
=28+60=88

34 방법1 예 52+44=50+40+2+4
=90+6=96

방법2 예 52+44=52+40+4
=92+4=96

26 30+3=33

27 9+70=79

28 25+3=28

29 6+42=48

30 30+30=60, 30+60=90

31 35+14=49, 35+23=58, 35+41=76

32 42+16=58, 42+24=66, 42+37=79

3 뺄셈 (1)

64~65쪽 원리 ❶

1	1 / 2, 1	11	62
2	3 / 3, 3	12	45
3	1 / 6, 1	13	30
4	0 / 8, 0	14	71
5	3 / 1, 3	15	92
6	1 / 4, 1	16	83
7	1 / 7, 1	17	74
8	2 / 9, 2	18	26
9	13	19	51
10	51	20	42

66~67쪽 연습 ❶

1	11	14	31
2	21	15	53
3	50	16	71
4	34	17	42
5	63	18	81
6	42	19	92
7	92	20	60
8	72	21	23
9	82	22	61
10	91	23	51
11	11	24	60
12	32	25	65 / 65개
13	15		

23
$$\begin{array}{r} 59 \\ -\ \ 8 \\ \hline 51 \end{array}$$

24
$$\begin{array}{r} 67 \\ -\ \ 7 \\ \hline 60 \end{array}$$

68~69쪽 적용 ❶

1 11
2 31
3 24
4 53
5 41
6 73
7 80
8 91
9 14, 12, 11
10 46, 44, 41
11 64, 62, 60
12 26, 24, 22
13 52, 51, 50
14 75, 73, 71
15 83, 82, 80
16 95, 93, 91

5 $46-5=41$
6 $75-2=73$
7 $87-7=80$
8 $99-8=91$
9 $15-1=14$, $15-3=12$, $15-4=11$
10 $49-3=46$, $49-5=44$, $49-8=41$
11 $66-2=64$, $66-4=62$, $66-6=60$
12 $27-1=26$, $27-3=24$, $27-5=22$
13 $53-1=52$, $53-2=51$, $53-3=50$
14 $78-3=75$, $78-5=73$, $78-7=71$
15 $84-1=83$, $84-2=82$, $84-4=80$
16 $97-2=95$, $97-4=93$, $97-6=91$

70~71쪽 원리 ❷

1 0 / 2, 0
2 0 / 3, 0
3 0 / 3, 0
4 0 / 6, 0
5 0 / 1, 0
6 0 / 1, 0
7 0 / 4, 0
8 0 / 2, 0
9 10
10 40
11 10
12 70
13 60
14 10
15 30
16 20
17 10
18 40
19 80
20 20

72~73쪽 연습 ❷

1 50
2 50
3 50
4 30
5 20
6 20
7 10
8 10
9 20
10 40
11 30
12 50
13 20
14 20
15 0
16 40
17 30
18 20
19 40
20 10
21 70
22 40
23 70
24 60
25 20 / 20대

24
$$\begin{array}{r} 9\ 0 \\ -\ 3\ 0 \\ \hline 6\ 0 \end{array}$$

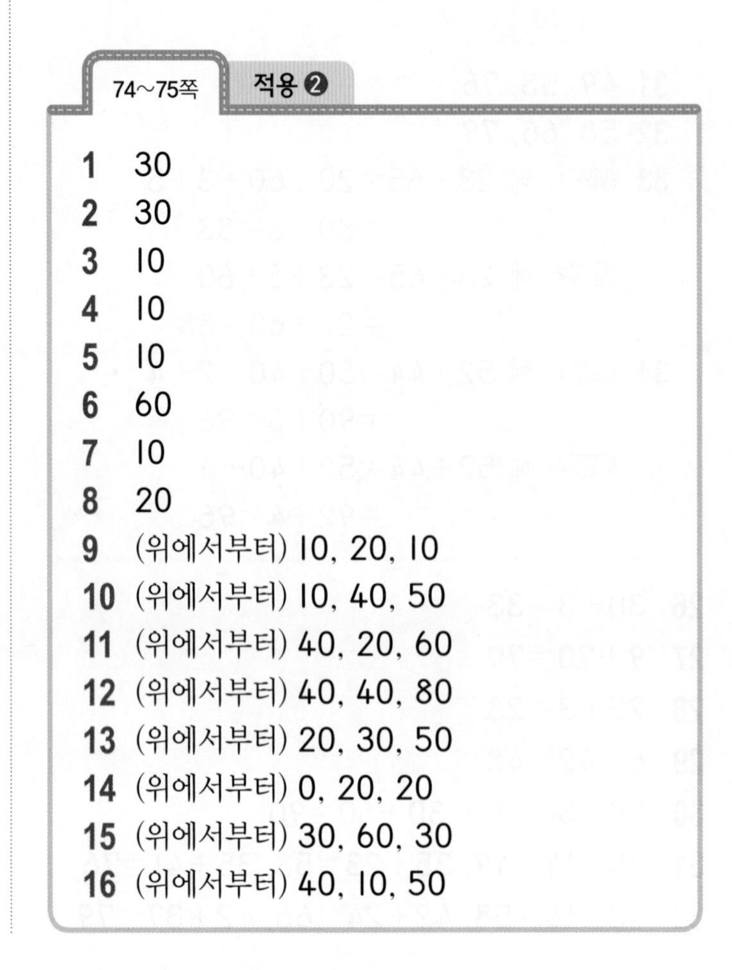

74~75쪽 적용 ❷

1 30
2 30
3 10
4 10
5 10
6 60
7 10
8 20
9 (위에서부터) 10, 20, 10
10 (위에서부터) 10, 40, 50
11 (위에서부터) 40, 20, 60
12 (위에서부터) 40, 40, 80
13 (위에서부터) 20, 30, 50
14 (위에서부터) 0, 20, 20
15 (위에서부터) 30, 60, 30
16 (위에서부터) 40, 10, 50

1 40－10＝30
2 50－20＝30
3 60－50＝10
4 80－70＝10
5 90－80＝10
6 70－10＝60
7 40－30＝10
8 70－50＝20
9 두 수의 차는 큰 수에서 작은 수를 빼서 구합니다.
30－10＝20, 30－20＝10, 20－10＝10
10 70－30＝40, 80－30＝50, 50－40＝10
11 80－60＝20, 80－20＝60, 60－20＝40
12 90－50＝40, 90－10＝80, 80－40＝40
13 90－60＝30, 90－40＝50, 50－30＝20
14 60－40＝20, 40－20＝20, 20－20＝0
15 90－30＝60, 60－30＝30, 60－30＝30
16 70－60＝10, 70－20＝50, 50－10＝40

76~77쪽 **원리 ❸**

1 7 / 1, 7
2 1 / 3, 1
3 3 / 1, 3
4 2 / 6, 2
5 4 / 4, 4
6 6 / 3, 6
7 8 / 3, 8
8 5 / 4, 5
9 4
10 26
11 25
12 42
13 16
14 43
15 34
16 37
17 24
18 3
19 7
20 72

78~79쪽 **연습 ❸**

1 11
2 36
3 17
4 42
5 5
6 19
7 14
8 25
9 22
10 53
11 17
12 54
13 22
14 31
15 5
16 13
17 56
18 28
19 14
20 25
21 61
22 32
23 9
24 16
25 33 / 33마리

80~81쪽 **적용 ❸**

1 17
2 33
3 12
4 8
5 11
6 5
7 67
8 16
9 16
10 28
11 38
12 31
13 27
14 34
15 9
16 27

9 26－10＝16
10 38－10＝28
11 58－20＝38
12 71－40＝31
13 97－70＝27
14 44－10＝34
15 89－80＝9
16 67－40＝27

82~83쪽 원리 ❹

1 2 / 1, 2
2 3 / 2, 3
3 1 / 2, 1
4 3 / 4, 3
5 7 / 3, 7
6 3 / 6, 3
7 0 / 6, 0
8 3 / 5, 3
9 12
10 5
11 32
12 41
13 54
14 30
15 52
16 64
17 23
18 8
19 43
20 15

84~85쪽 연습 ❹

1 13
2 21
3 4
4 12
5 30
6 42
7 13
8 31
9 12
10 7
11 31
12 40
13 6
14 11
15 31
16 42
17 41
18 72
19 25
20 50
21 32
22 52
23 33
24 23
25 24 / 24개

23
$$\begin{array}{r} 85 \\ -\,52 \\ \hline 33 \end{array}$$

24
$$\begin{array}{r} 99 \\ -\,76 \\ \hline 23 \end{array}$$

86~87쪽 적용 ❹

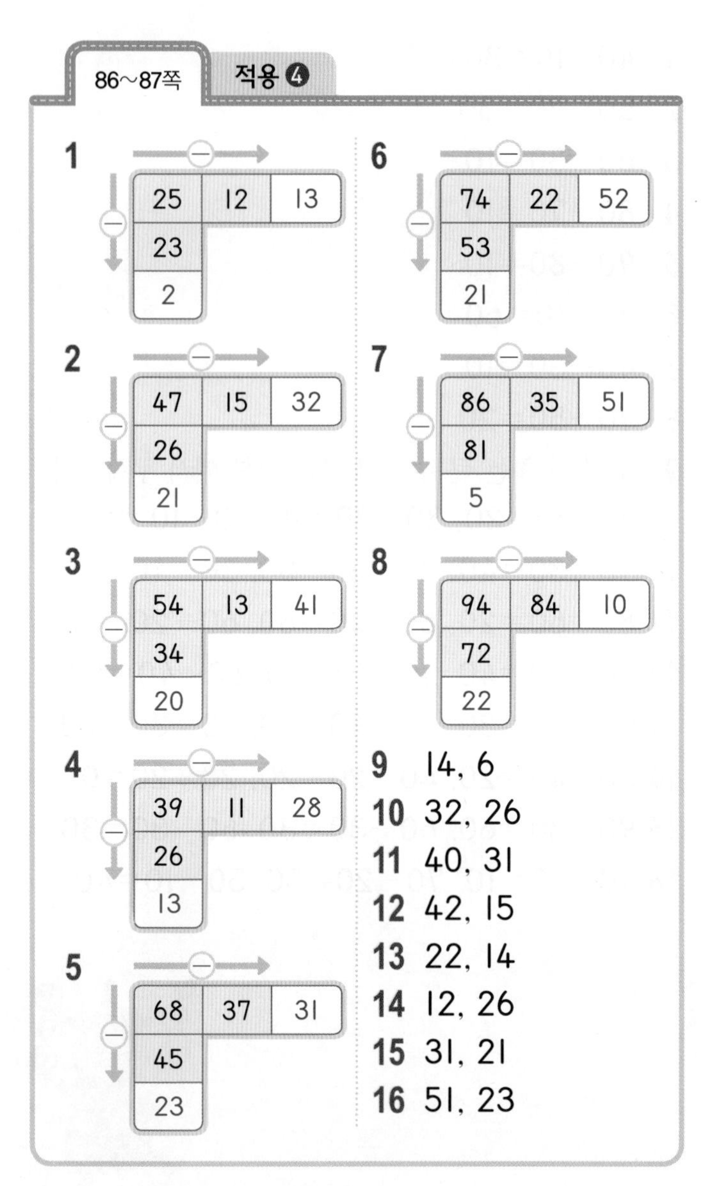

9 14, 6
10 32, 26
11 40, 31
12 42, 15
13 22, 14
14 12, 26
15 31, 21
16 51, 23

1 $25-12=13$, $25-23=2$
2 $47-15=32$, $47-26=21$
3 $54-13=41$, $54-34=20$
4 $39-11=28$, $39-26=13$
5 $68-37=31$, $68-45=23$
6 $74-22=52$, $74-53=21$
7 $86-35=51$, $86-81=5$
8 $94-84=10$, $94-72=22$
9 $27-13=14$, $27-21=6$
10 $44-12=32$, $38-12=26$
11 $55-15=40$, $55-24=31$
12 $83-41=42$, $56-41=15$
13 $36-14=22$, $28-14=14$
14 $49-37=12$, $49-23=26$

15 76−45=31, 97−76=21
16 85−34=51, 85−62=23

88~89쪽 **원리 ❺**

1	10, 5, 15, 10, 5	11	4, 53, 23
2	30, 3, 33, 30, 3	12	3, 65, 15
3	20, 1, 21, 20, 1	13	3, 33, 13
4	60, 1, 61, 60, 1	14	2, 70, 20
5	20, 1, 21, 20, 1	15	20, 6, 2
6	20, 5, 25, 20, 5	16	30, 17, 14
7	40, 1, 41, 40, 1	17	10, 49, 41
8	40, 2, 42, 40, 2	18	30, 37, 32
9	1, 42, 22	19	20, 56, 50
10	6, 21, 11	20	50, 48, 41

7 70에서 30을 빼고, 9에서 8을 뺀 후 두 계산 결과를 더합니다.
8 80에서 40을 빼고, 7에서 5를 뺀 후 두 계산 결과를 더합니다.
13 36에서 3을 빼고 20을 뺍니다.
14 72에서 2를 빼고 50을 뺍니다.
19 76에서 20을 빼고 6을 뺍니다.
20 98에서 50을 빼고 7을 뺍니다.

90~91쪽 **연습 ❺**

1 29−15=10+4
=14
2 45−23=20+2
=22
3 53−12=40+1
=41
4 74−32=40+2
=42
5 86−54=30+2
=32
6 97−46=50+1
=51
7 19−12
=19−2−10
=17−10
=7
8 24−13
=24−3−10
=21−10
=11
9 46−32
=46−2−30
=44−30
=14
10 69−64
=69−4−60
=65−60
=5
11 78−47
=78−7−40
=71−40
=31
12 89−68
=89−8−60
=81−60
=21
13 48−17
=48−10−7
=38−7
=31
14 56−43
=56−40−3
=16−3
=13
15 39−19
=39−10−9
=29−9
=20
16 64−24
=64−20−4
=44−4
=40
17 88−37
=88−30−7
=58−7
=51
18 99−26
=99−20−6
=79−6
=73
19 75−12
=75−10−2
=65−2
=63
20 58−56
=58−50−6
=8−6
=2
21 49−28
=49−20−8
=29−8
=21
22 77−53
=77−50−3
=27−3
=24
23 95−14
=95−10−4
=85−4
=81
24 70, 14, 12 / 12개

6 90에서 40을 빼고, 7에서 6을 뺀 후 두 계산 결과를 더합니다.

12 89에서 8을 빼고 60을 뺍니다.
23 95에서 10을 빼고 4를 뺍니다.
24 84에서 70을 빼고 2를 빼는 방법으로 계산합니다.

92~93쪽 적용 ❺

1 방법1 예 $55-34=20+1$
$=21$
방법2 예 $55-34=55-4-30$
$=51-30=21$
2 방법1 예 $69-48=20+1$
$=21$
방법2 예 $69-48=69-8-40$
$=61-40=21$
3 방법1 예 $73-41=30+2$
$=32$
방법2 예 $73-41=73-1-40$
$=72-40=32$
4 방법1 예 $46-23=20+3$
$=23$
방법2 예 $46-23=46-3-20$
$=43-20=23$
5 방법1 예 $85-35=50+0$
$=50$
방법2 예 $85-35=85-5-30$
$=80-30=50$
6 방법1 예 $93-62=30+1$
$=31$
방법2 예 $93-62=93-2-60$
$=91-60=31$
7 방법1 예 $44-23=20+1$
$=21$
방법2 예 $44-23=44-20-3$
$=24-3=21$
8 방법1 예 $63-51=10+2$
$=12$
방법2 예 $63-51=63-50-1$
$=13-1=12$
9 방법1 예 $86-26=60+0$
$=60$
방법2 예 $86-26=86-20-6$
$=66-6=60$
10 방법1 예 $59-27=30+2$
$=32$
방법2 예 $59-27=59-20-7$
$=39-7=32$
11 방법1 예 $78-35=40+3$
$=43$
방법2 예 $78-35=78-30-5$
$=48-5=43$
12 방법1 예 $97-34=60+3$
$=63$
방법2 예 $97-34=97-30-4$
$=67-4=63$

1 다른 방법: $55-34=55-30-4$
$=25-4=21$
2 다른 방법: $69-48=69-40-8$
$=29-8=21$
3 다른 방법: $73-41=73-40-1$
$=33-1=32$
4 다른 방법: $46-23=46-20-3$
$=26-3=23$
5 다른 방법: $85-35=85-30-5$
$=55-5=50$
6 다른 방법: $93-62=93-60-2$
$=33-2=31$
7 다른 방법: $44-23=44-3-20$
$=41-20=21$
8 다른 방법: $63-51=63-1-50$
$=62-50=12$
9 다른 방법: $86-26=86-6-20$
$=80-20=60$
10 다른 방법: $59-27=59-7-20$
$=52-20=32$

11 다른 방법: $78-35=78-5-30$
$=73-30=43$

12 다른 방법: $97-34=97-4-30$
$=93-30=63$

94~96쪽 **평가**

1 21
2 54
3 72
4 10
5 50
6 30
7 14
8 19
9 55
10 2
11 16
12 30
13 64
14 81
15 20
16 19
17 48
18 13
19 53
20 $57-26=30+1$
$=31$
21 $88-43=40+5$
$=45$
22 $79-57=20+2$
$=22$
23 $76-15=76-10-5$
$=66-5$
$=61$
24 $98-28=98-20-8$
$=78-8$
$=70$
25 $65-33=65-30-3$
$=35-3$
$=32$
26 42
27 91
28 40, 70
29 40, 10
30 28
31

87	54	33
37	23	14
50	31	

32

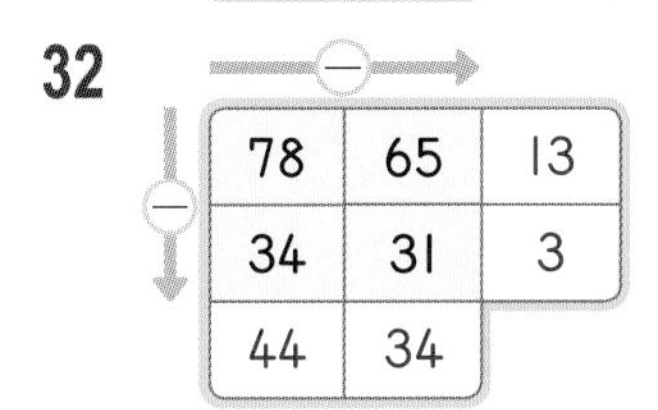

78	65	13
34	31	3
44	34	

33 방법 1 예 $65-24=40+1$
$=41$
방법 2 예 $65-24=65-20-4$
$=45-4=41$

34 방법 1 예 $97-45=50+2$
$=52$
방법 2 예 $97-45=97-40-5$
$=57-5=52$

26 $48-6=42$
27 $96-5=91$
28 $90-50=40$, $90-20=70$
29 $70-30=40$, $40-30=10$
30 $78-50=28$
31 $87-54=33$, $37-23=14$,
$87-37=50$, $54-23=31$
32 $78-65=13$, $34-31=3$,
$78-34=44$, $65-31=34$
33 다른 방법: $65-24=65-4-20$
$=61-20=41$
34 다른 방법: $97-45=97-5-40$
$=92-40=52$

4 덧셈 (2)

98~99쪽 원리 ❶

1 (위에서부터) 5, 3, 5
2 (위에서부터) 8, 7, 8
3 (위에서부터) 6, 4, 6
4 (위에서부터) 9, 5, 9
5 (위에서부터) 9, 6, 9
6 (위에서부터) 7, 5, 7
7 (위에서부터) 8, 3, 8
8 (위에서부터) 9, 6, 9
9 (위에서부터) 8 / 4, 4, 8
10 (위에서부터) 7 / 4, 4, 7
11 (위에서부터) 7 / 3, 3, 7
12 (위에서부터) 5 / 4, 4, 5
13 (위에서부터) 6 / 5, 5, 6
14 (위에서부터) 8 / 5, 5, 8
15 (위에서부터) 7 / 5, 5, 7
16 (위에서부터) 8 / 7, 7, 8
17 (위에서부터) 9 / 8, 8, 9
18 (위에서부터) 9 / 7, 7, 9

100~101쪽 연습 ❶

1 6
2 9
3 9
4 5
5 8
6 9
7 8
8 8
9 9
10 8
11 8
12 9
13 7
14 9
15 9
16 9
17 6
18 9
19 8
20 9
21 7
22 9
23 6
24 9
25 7
26 8
27 9
28 8
29 9
30 9
31 6 / 6장

23 $3+2+1=5+1=6$
24 $3+3+3=6+3=9$
25 $1+4+2=5+2=7$
26 $4+3+1=7+1=8$
27 $4+3+2=7+2=9$
28 $5+1+2=6+2=8$
29 $6+2+1=8+1=9$
30 $7+1+1=8+1=9$
31 $2+1+3=3+3=6$

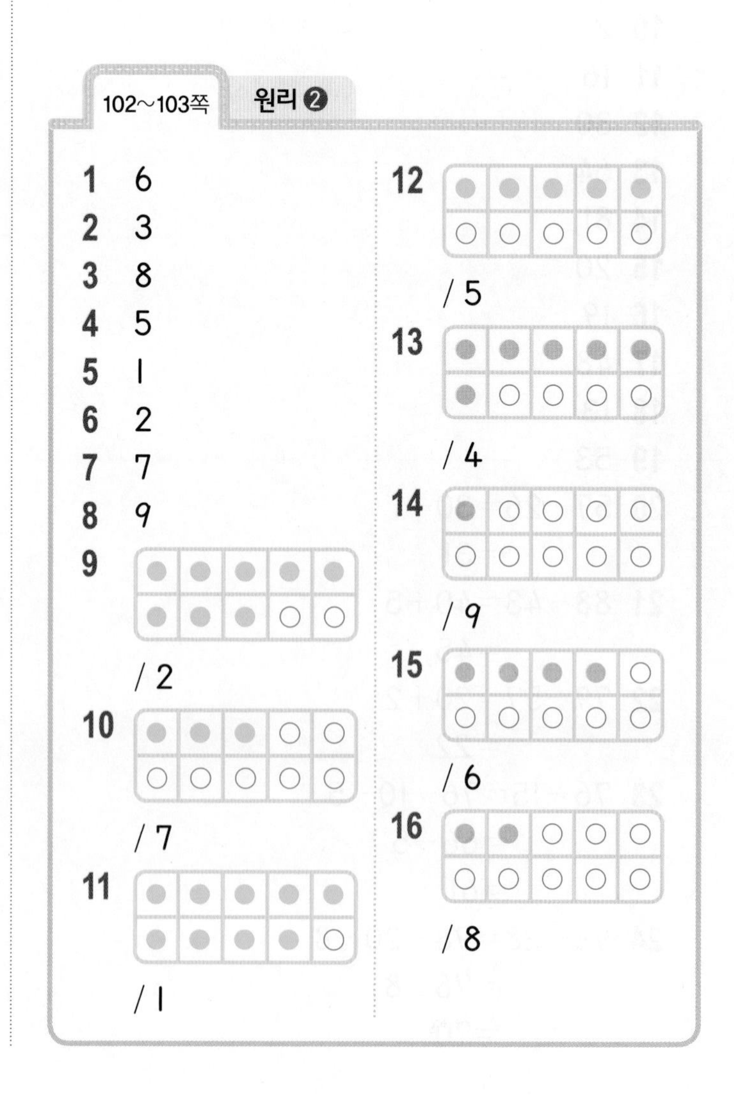

102~103쪽 원리 ❷

1 6
2 3
3 8
4 5
5 1
6 2
7 7
8 9
9 / 2
10 / 7
11 / 1
12 / 5
13 / 4
14 / 9
15 / 6
16 / 8

104~105쪽 **연습 ❷**

1 7
2 4
3 10
4 5
5 1
6 10
7 3
8 9
9 8
10 9
11 10
12 6
13 3
14 10
15 2
16 6
17 2+8
18 6+4
19 7+3
20 1+9
21 4+6
22 5+5
23 3+7
24 9+1
25 8+2
26 2 / 2개

106~107쪽 **원리 ❸**

1 (위에서부터) 12, 10, 12
2 (위에서부터) 16, 10, 16
3 (위에서부터) 13, 10, 13
4 (위에서부터) 14, 10, 14
5 (위에서부터) 15, 10, 15
6 (위에서부터) 12, 10, 12
7 (위에서부터) 12, 10, 12
8 (위에서부터) 13, 10, 13
9 2+8 / 13
10 6+4 / 15
11 9+1 / 17
12 3+7 / 14
13 5+5 / 13
14 1+9 / 18
15 4+6 / 17
16 7+3 / 15
17 8+2 / 17
18 3+7 / 15
19 4+6 / 18
20 3+7 / 16
21 5+5 / 16
22 2+8 / 14
23 9+1 / 12
24 6+4 / 13

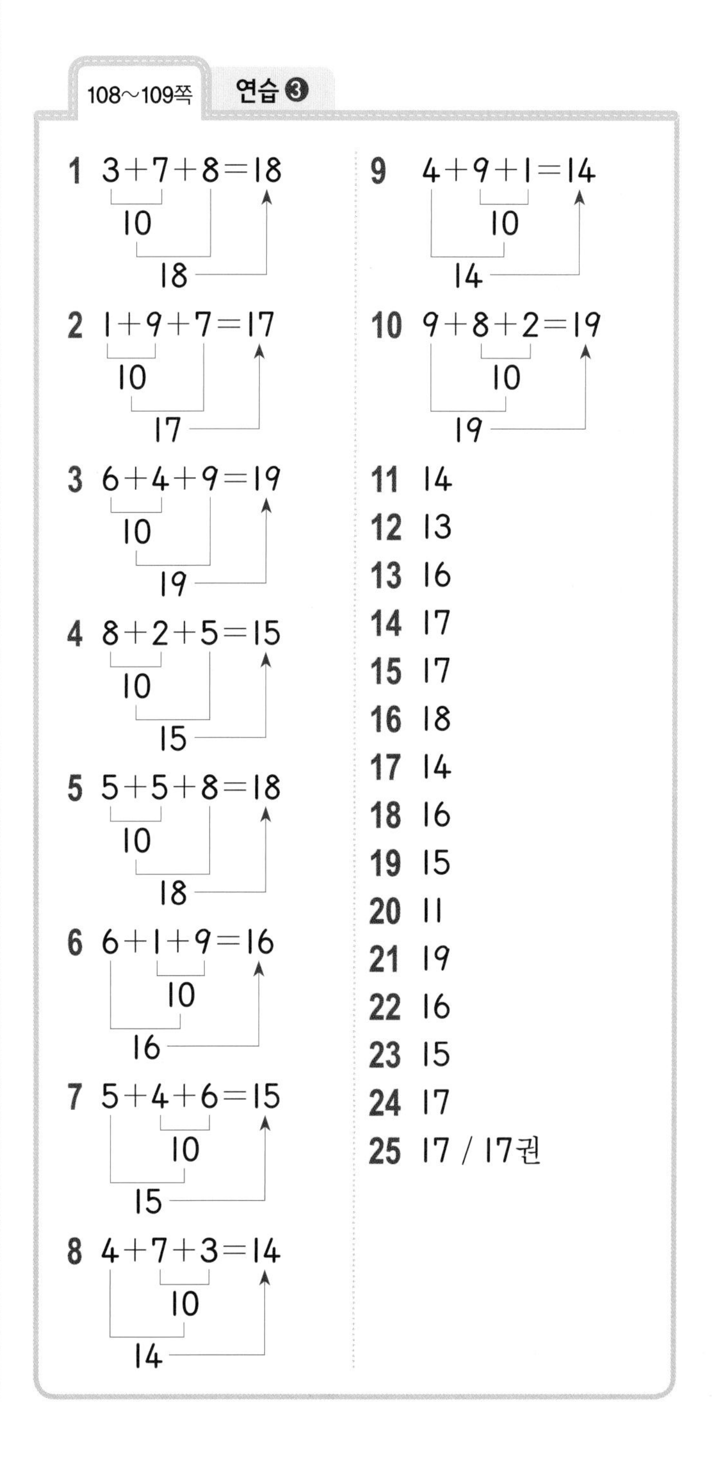

108~109쪽 **연습 ❸**

1 3+7+8=18 (10, 18)
2 1+9+7=17 (10, 17)
3 6+4+9=19 (10, 19)
4 8+2+5=15 (10, 15)
5 5+5+8=18 (10, 18)
6 6+1+9=16 (10, 16)
7 5+4+6=15 (10, 15)
8 4+7+3=14 (10, 14)
9 4+9+1=14 (10, 14)
10 9+8+2=19 (10, 19)
11 14
12 13
13 16
14 17
15 17
16 18
17 14
18 16
19 15
20 11
21 19
22 16
23 15
24 17
25 17 / 17권

110~111쪽 원리 ❹

1 (위에서부터) 15, 3
2 (위에서부터) 12, 1
3 (위에서부터) 14, 4
4 (위에서부터) 12, 5
5 (위에서부터) 14, 1
6 (위에서부터) 12, 2
7 (위에서부터) 13, 5
8 (위에서부터) 13, 4
9 (위에서부터) 11, 3, 1
10 (위에서부터) 11, 4, 1
11 (위에서부터) 14, 3, 4
12 (위에서부터) 15, 1, 5
13 (위에서부터) 15, 2, 5
14 (위에서부터) 17, 1, 7
15 (위에서부터) 11, 1, 1
16 (위에서부터) 13, 3, 2
17 (위에서부터) 11, 1, 2
18 (위에서부터) 16, 6, 2
19 (위에서부터) 13, 3, 1
20 (위에서부터) 18, 8, 1

112~113쪽 연습 ❹

1 11
2 11
3 11
4 12
5 17
6 12
7 13
8 13
9 12
10 14
11 15
12 16
13 12
14 16
15 11
16 12
17 14
18 11
19 15
20 14
21 14
22 16
23 13
24 11
25 15
26 18
27 13
28 12
29 13 / 13번

114~115쪽 적용

1 8
2 9
3 7
4 9
5 8
6 (위에서부터) 8, 4, 9, 3
7 (위에서부터) 1, 7, 5, 6
8 (위에서부터) 4, 2, 3, 9
9 (위에서부터) 5, 6, 2, 7
10 13
11 16
12 12
13 18
14 19

15

9	2	11
4	8	12
13	10	

16

5	8	13
7	7	14
12	15	

17

6	9	15
8	5	13
14	14	

18

7	9	16
6	7	13
13	16	

10 $3+1+9=3+10=13$

11 $3+6+7=10+6=16$

12 $4+6+2=10+2=12$

13 $8+2+8=10+8=18$

14 $9+5+5=9+10=19$

15 $9+2=11$, $4+8=12$, $9+4=13$, $2+8=10$

16 $5+8=13$, $7+7=14$, $5+7=12$, $8+7=15$

17 $6+9=15$, $8+5=13$, $6+8=14$, $9+5=14$

18 $7+9=16$, $6+7=13$, $7+6=13$, $9+7=16$

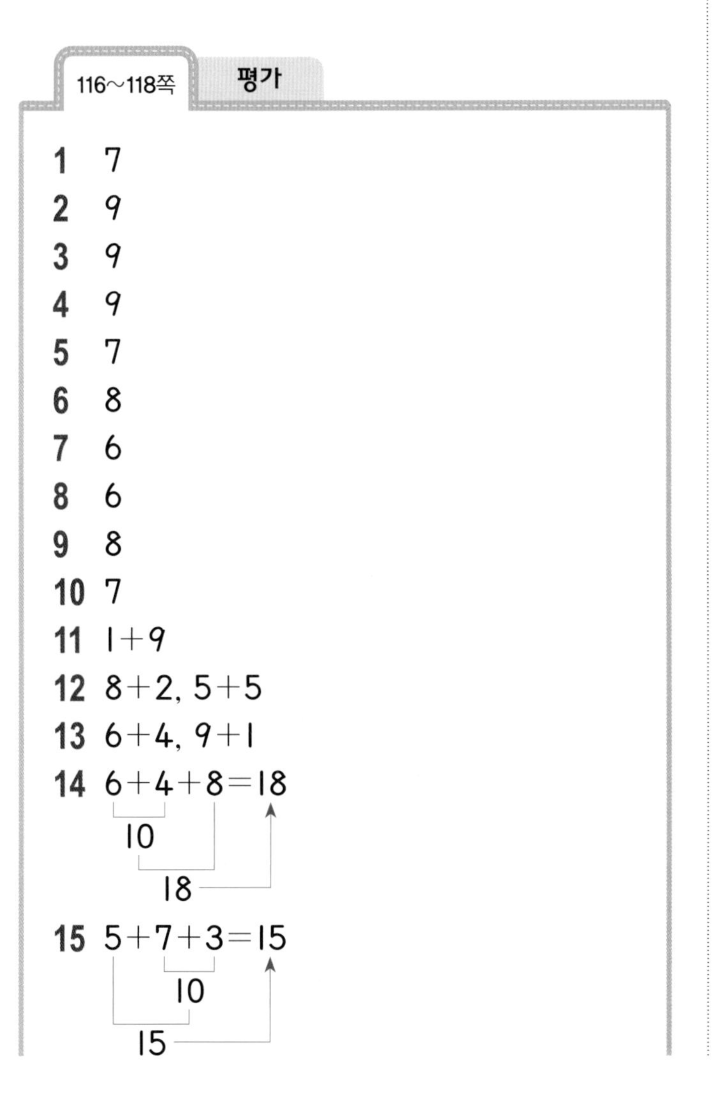

116~118쪽 평가

1 7
2 9
3 9
4 9
5 7
6 8
7 6
8 6
9 8
10 7
11 $1+9$
12 $8+2$, $5+5$
13 $6+4$, $9+1$
14 $6+4+8=18$
10
18
15 $5+7+3=15$
10
15
16 13
17 18
18 19
19 12
20 15
21 16
22 12
23 12
24 15
25 14
26 9
27 8
28 9
29 (위에서부터) 3, 6, 1, 8
30 (위에서부터) 2, 5, 6, 3
31 (위에서부터) 7, 8, 9, 4
32 13
33 17
34 16
35 11, 12, 17
36 11, 12, 14
37 12, 17, 18

26 $2+3+4=5+4=9$

27 $3+4+1=7+1=8$

28 $5+2+2=7+2=9$

29 3과 7, 4와 6, 9와 1, 8과 2를 더하면 10이 됩니다.

30 8과 2, 5와 5, 6과 4, 7과 3을 더하면 10이 됩니다.

31 7과 3, 2와 8, 1과 9, 4와 6을 더하면 10이 됩니다.

32 $7+3+3=10+3=13$

33 $7+6+4=7+10=17$

34 $8+6+2=10+6=16$

35 $8+3=11$, $8+4=12$, $8+9=17$

36 $6+5=11$, $6+6=12$, $6+8=14$

37 $9+3=12$, $9+8=17$, $9+9=18$

5 뺄셈 (2)

120~121쪽 원리 ❶

1 (위에서부터) 1, 3, 1
2 (위에서부터) 3, 4, 3
3 (위에서부터) 2, 5, 2
4 (위에서부터) 1, 4, 1
5 (위에서부터) 2, 7, 2
6 (위에서부터) 1, 5, 1
7 (위에서부터) 2, 5, 2
8 (위에서부터) 1, 5, 1
9 (위에서부터) 1 / 2, 2, 1
10 (위에서부터) 2 / 3, 3, 2
11 (위에서부터) 0 / 3, 3, 0
12 (위에서부터) 2 / 5, 5, 2
13 (위에서부터) 1 / 2, 2, 1
14 (위에서부터) 2 / 4, 4, 2
15 (위에서부터) 2 / 6, 6, 2
16 (위에서부터) 3 / 4, 4, 3
17 (위에서부터) 1 / 3, 3, 1
18 (위에서부터) 1 / 7, 7, 1

122~123쪽 연습 ❶

1 1
2 0
3 1
4 2
5 3
6 1
7 2
8 3
9 0
10 2
11 1
12 3
13 4
14 2
15 3
16 1
17 3
18 0
19 1
20 2
21 0
22 4
23 1
24 1
25 1
26 2
27 2
28 0
29 1
30 4
31 3 / 3개

124~125쪽 원리 ❷

1 8
2 4
3 9
4 5
5 8
6 4
7 2
8 5
9 7
10 1
11 6
12 1
13 6
14 2
15 5
16 7

126~127쪽 연습 ❷

1 9
2 6
3 3
4 5
5 9
6 4
7 2
8 7
9 6
10 2
11 4
12 1
13 3
14 8
15 7
16 1
17 8
18 5
19 6
20 2
21 7
22 3
23 4
24 1
25 10, 3, 7
26 10, 5, 5
27 10, 6, 4
28 10, 8, 2
29 9 / 9개

128~129쪽 원리 ❸

1 (위에서부터) 10, 6, 4
2 (위에서부터) 10, 7, 1
3 (위에서부터) 10, 6, 5
4 (위에서부터) 10, 8, 6
5 (위에서부터) 5, 8, 10
6 (위에서부터) 1, 8, 10
7 (위에서부터) 5, 9, 10
8 (위에서부터) 2, 7, 10
9 (위에서부터) 4, 1
10 (위에서부터) 5, 3
11 (위에서부터) 9, 6
12 (위에서부터) 7, 4
13 (위에서부터) 9, 8
14 (위에서부터) 9, 5
15 (위에서부터) 8, 10
16 (위에서부터) 4, 10
17 (위에서부터) 6, 10
18 (위에서부터) 7, 10
19 (위에서부터) 6, 10
20 (위에서부터) 9, 10

130~131쪽 연습 ❸

1 9
2 6
3 7
4 9
5 9
6 9
7 5
8 5
9 8
10 7
11 8
12 8
13 6
14 4
15 7
16 8
17 3
18 9
19 8
20 7
21 9
22 7
23 8
24 9
25 3
26 2
27 8
28 5
29 5
30 6
31 4 / 4점

132~133쪽 적용

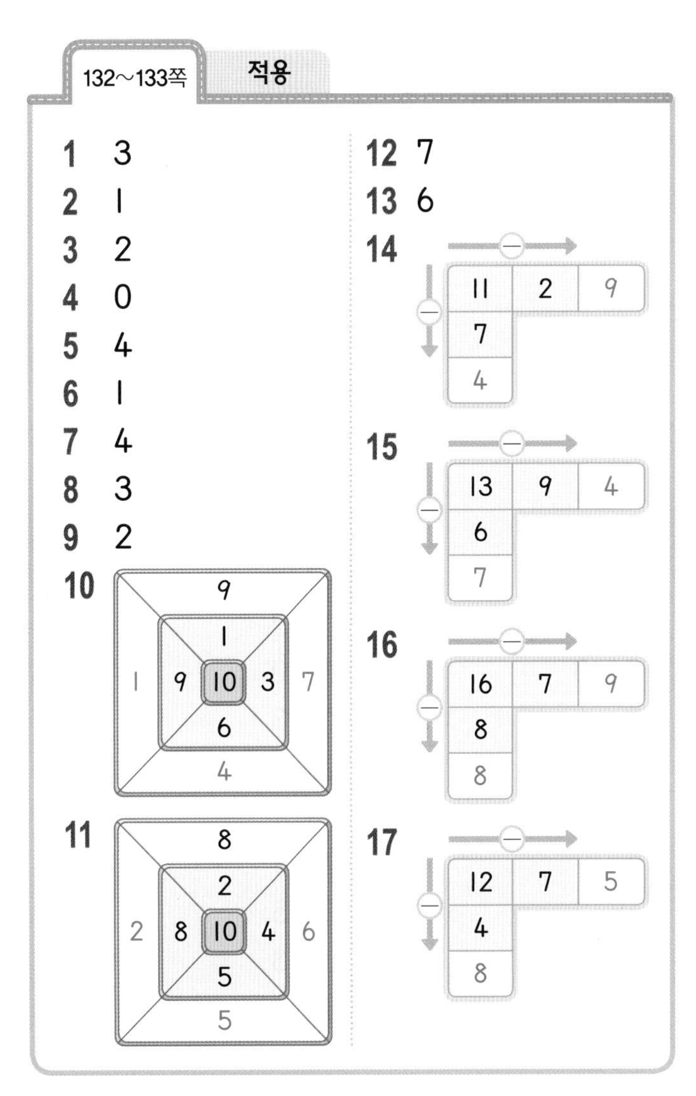

1 3
2 1
3 2
4 0
5 4
6 1
7 4
8 3
9 2
10
11
12 7
13 6
14
15
16
17

1 5－1－1＝4－1＝3
2 6－4－1＝2－1＝1
3 8－4－2＝4－2＝2
4 7－2－5＝5－5＝0
5 9－3－2＝6－2＝4
6 4－2－1＝2－1＝1
7 8－1－3＝7－3＝4

8 $10-7=3$

9 $10-\square=8$ ➡ $10-2=8$이므로 $\square=2$입니다.

10 $10-3=7$, $10-6=4$, $10-9=1$

11 $10-4=6$, $10-5=5$, $10-8=2$

12 $14-7=14-4-3=10-3=7$
(7 → 4, 3)

13 $15-9=15-5-4=10-4=6$
(9 → 5, 4)

14 $11-2=9$, $11-7=4$

15 $13-9=4$, $13-6=7$

16 $16-7=9$, $16-8=8$

17 $12-7=5$, $12-4=8$

134~136쪽 평가

1	1	**21**	2
2	3	**22**	1
3	4	**23**	3
4	0	**24**	2
5	3	**25**	0
6	4	**26**	3
7	3	**27**	1
8	6	**28**	7
9	7	**29**	9
10	2	**30**	5
11	4	**31**	8
12	5	**32**	3
13	1	**33**	1
14	6	**34**	7
15	5	**35**	5
16	8	**36**	9
17	4	**37**	9, 7, 6
18	8	**38**	9, 8, 6
19	7	**39**	9, 6, 5
20	9		

18 $15-7=15-5-2=10-2=8$
(7 → 5, 2)

19 $16-9=16-6-3=10-3=7$
(9 → 6, 3)

20 $17-8=17-7-1=10-1=9$
(8 → 7, 1)

21 $4-1-1=3-1=2$

22 $6-3-2=3-2=1$

23 $7-2-2=5-2=3$

24 $8-4-2=4-2=2$

25 $5-4-1=1-1=0$

26 $8-3-2=5-2=3$

27 $9-4-4=5-4=1$

28 $10-3=7$

29 $10-1=9$

30 $10-\square=5$ ➡ $10-5=5$이므로 $\square=5$입니다.

31 $10-2=8$

32 $10-7=3$

33 $10-9=1$

34 $15-8=15-5-3=10-3=7$
(8 → 5, 3)

35 $11-6=11-1-5=10-5=5$
(6 → 1, 5)

36 $18-9=18-8-1=10-1=9$
(9 → 8, 1)

37 $12-3=9$, $12-5=7$, $12-6=6$

38 $13-4=9$, $13-5=8$, $13-7=6$

39 $14-5=9$, $14-8=6$, $14-9=5$

초능력 수학 연산 1·2
정답 및 풀이

하루 2쪽
10분 완성

초능력 수학 연산